Basiswissen Pädagogik

Aktuelle Schulkonzepte

Band 3

Schulen in staatlicher und freier Trägerschaft

Herausgegeben von

Hans Döbert / Christian Ernst

Schneider Verlag Hohengehren GmbH

Umschlaggestaltung:
Regina Herrmann, 73666 Baltmannsweiler

Die Deutsche Bibliothek – CIP-Einheitsaufnahme

Basiswissen Pädagogik : aktuelle Schulkonzepte /
hrsg. von Hans Döbert und Christian Ernst. –
Baltmannsweiler : Schneider-Verl. Hohengehren
ISBN 3-89676-468-3

Bd. 3. Schulen in staatlicher und freier Trägerschaft. – 2001
ISBN 3-89676-464-0

Printed in Germany. Druck: Frech, Stuttgart

Inhaltsverzeichnis

Band III: Schulen in staatlicher und freier Trägerschaft

Einführung: Schulen in staatlicher und freier Trägerschaft

In Erziehungswissenschaft und Pädagogik liegen zahlreiche Lexika, Wörterbücher, Handbücher oder sonstige Nachschlagewerke zu schulpädagogischen Inhalten vor. Sie unterscheiden sich zwar hinsichtlich Adressaten, Inhalt, pädagogischem Ansatz und Struktur voneinander, doch haben sie alle den vordringlichen Zweck zu informieren, was zu einem bestimmten Stichwort oder Sachverhalt Grundlegendes wie Weiterführendes mit Blick auf die Schule zu sagen ist.

Nun liegen auf Anregung des Schneider-Verlags im Rahmen der Buchreihe „Basiswissen Pädagogik“ sechs Bände zu „Aktuellen Schulkonzepten“ vor, deren hauptsächlicher Zweck es demgegenüber ist, wesentliche aktuelle Erkenntnisse und Entwicklungen in Erziehungswissenschaft und Pädagogik zur Schule wissenschaftlich fundiert in ihrem pädagogischen Anspruch und in ihrer Bedeutung für die Schulpraxis zu entfalten. Diese aktuelle überblicksartige Einführung in Konzepte, Probleme und Erfahrungen gegenwärtiger Schulentwicklung ist auf die Darbietung und Erhellung in der Öffentlichkeit zunehmend nachgefragter pädagogischer Tatbestände gerichtet.

Viel hat sich gerade im Bereich der Schulentwicklung in den letzten Jahren getan. Nicht nur neue Begriffe wie „Public-Private-Partnership“, „Fundraising“, „Schulfirmen“ oder bekannte Begriffe in neuem Gewand wie „Leitbild“, „neue Lehr- und Lernkultur“ haben in die Schulentwicklung Eingang gefunden. Mit ihnen sind zugleich neue pädagogische Fragestellungen und Denkweisen entstanden. Ihre Verwendung war und ist – nicht zuletzt auch wegen eines überwiegend auf „Insider“ konzentrierten Kontextverständnisses – nicht selten mit Verkürzungen, Vereinfachungen und Missverständnissen verbunden. Unter Praktikern, Lernenden und Studierenden sowie in der pädagogisch interessierten Öffentlichkeit besteht somit ein sichtbares Bedürfnis nach thematisch zwar relativ breit angelegten, dennoch in zusammenhängenden Inhaltskomplexen dargebotenen Informationen über diese neueren Entwicklungen und Konzepte zur Schule. Die vorliegenden Bände wollen daher Überblick, Querschnitt und Vertiefung in leicht zugänglicher, handlicher und verständlicher Form in einem bieten. Es lag dabei sowohl in der Absicht der Herausgeber als auch der einzelnen Autoren, eine Balance zwischen dem grundlegenden, bleibenden Bestand der Pädagogik in Bezug auf die Schule einerseits und neueren erziehungswissenschaftlichen Erkenntnissen und schulpraktischen Entwicklungen andererseits herzustellen.

Eine auch nur einigermaßen umfassende Darstellung aktueller schultheoretischer und schulpraktischer Erkenntnisse und Entwicklungen in ihren vielfältigen und komplexen Aspekten, Bezügen und Handlungsfeldern kann heute kaum, auch nicht in sechs Bänden geleistet werden. Die sechs Bände sind daher vor allem als Versuch gedacht, die ungewöhnlich breiten und vielschichtigen Diskussionen und Entwicklungen im Schulbereich zu strukturieren und zu einem Wissensfundus zusammenzustellen. In manchen Teilbereichen ging es auch darum, ein gewisses „Grundlagenwissen“ erst einmal ansatzweise zu sichern. Die Herausgeber haben sich bemüht, Überschneidungen zwischen den thematischen Teilbereichen in den sechs Bänden zu begrenzen. Da aber jeder Band für sich sowie die sechs Bände insgesamt Einblicke in die differenzierten schulpädagogischen Tätigkeitsgebiete vermitteln, „neue Wege“ von Schulen im nationalen wie im internationalen Rahmen beschreiben sowie explizite Auskunft über entsprechende Forschungen geben sollen, konnten diese Überschneidungen auch im Interesse des Überblicks für die Leser/-innen nicht völlig vermieden werden.

Die große Heterogenität der Gegenstände sowie der Basischarakter der Darstellung ließen es nicht zu, die einzelnen Ansätze und Entwicklungen in ihrer Genese und in ihren jeweiligen historischen Bezügen, in ihren personalen, schulspezifischen, nationalen und internationalen Zusammenhängen zu entfalten. Hierzu muss auf anderweitige ausführlichere Veröffentlichungen verwiesen werden. In der Regel findet sie der Leser bzw. die Leserin in den Literaturverzeichnissen der einzelnen Beiträge. Gleichfalls wird mancher interessierte Nutzer der „Aktuellen Schulkonzepte" grundlegende Informationen etwa zur Struktur des Schulwesens in den deutschen Bundesländern oder in anderen europäischen Staaten, zu den einzelnen Schulformen bzw. -arten sowie zu Standardbegriffen o. Ä. vermissen. Die sechs Bände setzen ein gewisses Maß an Kenntnissen voraus. Um an solchen Informationen interessierten Lesern diese leichter zugänglich zu machen, ist ein Verzeichnis ausgewählter grundlegender Literatur zu Schule und Schulpädagogik aufgenommen worden. Es befindet sich am Ende jedes Bandes. Damit das Überschauen der Zusammenhänge erleichtert, die innere Verbindung der einzelnen Beiträge sichtbarer und die Nutzbarkeit der Bände erhöht wird, wurde ein Sachwortverzeichnis aufgenommen. Die Sachworte sind allerdings auf grundlegende und praxisorientierte Begriffe beschränkt.

In die Beiträge der einzelnen Autoren sind ungeachtet des Bemühens um Objektivität subjektive Stellungnahmen und Urteile eingegangen. Diese wie auch die inhaltlichen Aussagen in den Beiträgen verantworten die jeweiligen Autoren selbst. Die Herausgeber haben darauf verzichtet, abweichende Darstellungen oder Urteile einander anzugleichen. Ebenso wurde keine sprachliche und stilistische Einheit angestrebt, zumal die Bände auch durch die verschiedenen inhaltlichen und stilistischen „Handschriften" der Beiträge gewinnen dürften.

Es gibt verschiedene Möglichkeiten, sich dem erziehungswissenschaftlichen und pädagogischen Themenfeld Schule zu nähern. Die Herausgeber haben sich bei den in Rede stehenden sechs Bänden der „Aktuellen Schulkonzepte“ für einen inhaltlichen Zugang entschieden, der möglichst breit das gegenwärtige Diskussions- und Entwicklungsspektrum in und um Schule umfassen sollte. Die Beiträge in den sechs Bänden wurden daher um die folgenden Themenbereiche versammelt: Neue Schulkultur, Finanzierung und Öffnung von Schule, Schulen in staatlicher und freier Trägerschaft, Schulen mit besonderem pädagogischen Profil, Flexibilisierung von Bildungsgängen sowie Schule und Qualität. Der vorliegende Band „Schulen in staatlicher und freier Trägerschaft“ beleuchtet die Thematik aus der Perspektive von zehn Beiträgen. Das Bemühen der Autoren war es, neben nationalen auch internationale Trends zu berücksichtigen.

Folgen der demographischen Entwicklungen betreffen Schulen sowohl in staatlicher als auch freier Trägerschaft. WEISHAUPT dokumentiert in seinem Beitrag den Einfluss von Wanderungsprozessen auf die Bevölkerungsentwicklung und vor diesem Hintergrund die Geburtenentwicklung und die Erwartungen in den weiteren Geburtenverlauf. Aus den genannten Prozessen stellen sich schulplanerische Problemlagen, die als Chance für veränderte Angebotsstrukturen und für Veränderungen des Schulsystems gesehen werden können. Besonderes Augenmerk wird auf die Lehrerbedarfsplanung gerichtet. Als Folge von Wanderungsbewegungen größeren Stils beleuchtet REUTER rechtliche und pädagogische Aspekte der Beschulung von Kindern und Jugendlichen nichtdeutscher Erstsprache. Allgemeine Rechtsgrundlagen für Zuwandererkinder, ihr Rechtsstatus im Schulwesen, Sonderregelungen für Schüler nichtdeutscher Erstsprache, ferner Probleme, Regelungsbedarf und Entwicklungstendenzen für Schulaufsicht, Privatschulen und Religionsunterricht sind die Aspekte der Darlegung. Dass Migration auch Grundlage für Innovationen sein kann, wird abschließend im Beitrag aufgezeigt.

Eine Bestandsaufnahme der Schulen in staatlicher Trägerschaft nach der Wiedervereinigung Deutschlands im Sekundarbereich I gibt HECK in seinem Beitrag. Zentrale Konzeptionen sind hierbei Dreigliedrigkeit, Integration und Zweigliedrigkeit. Sie bestimmten bereits in den 1960er- und 1970er-Jahren die erziehungswissenschaftliche Debatte um die geeignetste Schulform. In fast allen Bundesländern sind inzwischen integrationsorientierte Strukturbewegungen in der Sekundarstufe I festzustellen. Fazit dieser Entwicklung ist eine Mischung aus produktiver Vielfalt und neuer Unübersichtlichkeit. Der Beitrag von BRONDER thematisiert Hauptschulbildungsgänge in den Ländern der Bundesrepublik Deutschland. Hauptschulpädagogik wird anhand von Qualifikationskriterien legitimiert, wobei gleichsam ein Ausblick auf die Zukunft der Hauptschulbildung gegeben wird. Auch WOLLENWEBER geht in seinem Beitrag der Weiterentwicklung von Schulen in staatlicher Trägerschaft nach. Das Bildungskonzept der Realschule wird begründet sowie notwendige Innovationen und Akzentverschiebungen in der schulischen Bildung dargelegt. FUCHS thematisiert die Reform der gymnasialen Oberstufe seit dem zweiten Weltkrieg. Die Darstellung der zahlreichen Reformbemühungen der Vergangenheit in ihrem teilweise komplizierten Sachzusammenhang mündet in einen Ausblick auf zukünftige Entwicklungen.

Schulen in freier Trägerschaft mit unterschiedlicher pädagogischer Ausrichtung sind das Thema des zweiten Teils des Bandes. Die Freie Comenius-Schule in Darmstadt als eine an der Freinetpädagogik orientierte integrative Gesamtschule steht im Mittelpunkt des Beitrags von HEINRICHS. Der Beitrag enthält zugleich eine Beschreibung der wichtigsten Prinzipien und Methoden der Freinetpädagogik. Einen weithin bekannten Ansatz für eine besondere pädagogische Ausrichtung von Schulen in freier Trägerschaft stellen die Waldorfschulen dar. Sie werden im Beitrag von HARDORP beschrieben und die Merkmale der Waldorfpädagogik aufgezeigt. Als eine weitere

Variante von Schulen in freier Trägerschaft wird von ENGL am Beispiel des Dr.-Johanna-Decker-Gymnasiums / der Realschule Amberg eine chancengerechte Mädchen- und Frauenbildung in konfessioneller Trägerschaft beschrieben. Auch in diesem Beitrag werden die pädagogischen Grundsätze in ihrer Funktion für die Schulentwicklung dargelegt.

VAN DE VEN schließt diesen Band mit einem Beitrag ab, der durch die Frage eingeleitet wird, wem die Schule gehört. Am Beispiel niederländischer Schulen in staatlicher und freier Trägerschaft werden die Rolle des Staates im niederländischen Bildungssystem beleuchtet und neue Tendenzen im niederländischen Schulwesen aufgezeigt.

Wenn die „Aktuellen Schulkonzepte" und insbesondere der Band „Schulen in staatlicher und freier Trägerschaft" zu einem nützlichen Handbuch für Studium, Schulpraxis und interessierte Öffentlichkeit werden, dann gebührt das Verdienst daran in erster Linie den Autorinnen und Autoren aus Praxis, Verwaltung und Wissenschaft. Ihnen gilt der besondere Dank der Herausgeber.

Ohne die tatkräftige und verlässliche Mitarbeit von Frau Heike Balzer, Berlin, hätte diese Publikation so rasch nicht druckreif vorgelegen. Auch ihr danken wir sehr herzlich.

Berlin, im Mai 2001

Hans Döbert
Christian Ernst

HORST WEISHAUPT

Die Folgen der demographischen Entwicklungen für das Schulwesen

Von den demographischen Indikatoren ist die Geburtenentwicklung für das Schulwesen von entscheidender Bedeutung. Die Geburtenzahlen bestimmen weitgehend den Kapazitätsbedarf für das Schulwesen während der 9–10jährigen Pflichtschulzeit mit Vollzeit-Schulbesuch und sind auch in der Sekundarstufe II für den Besuch der gymnasialen Oberstufe und der beruflichen Vollzeitschulen bzw. der Berufsschule im dualen System von großer Bedeutung. Neben der Geburtenentwicklung wird der regionale wie der gesamtstaatliche Bedarf an schulischen Einrichtungen durch Wanderungsprozesse beeinflusst. Dieser Einflussfaktor war in der Vergangenheit ebenfalls von großer Bedeutung für den Kapazitätsbedarf des Schulwesens.

Demographische Einflüsse auf die Schulentwicklung

Um die demographischen Einflüsse auf die Schulentwicklung darzustellen, ist es sinnvoll, zunächst den Einfluss von Wanderungsprozessen auf die Bevölkerungsentwicklung zu behandeln und vor diesem Hintergrund die Geburtenentwicklung und die Erwartungen in den weiteren Geburtenverlauf zu beschreiben.

Wanderungen als wichtige Komponente der Bevölkerungsentwicklung

Der Einfluss der Wanderungen auf die Bevölkerungsentwicklung war in den letzten Jahrzehnten zwischen alten und neuen Bundesländern extrem unterschiedlich. Die Bevölkerung der alten Bundesrepublik verzeichnete in den ersten 15 Jahren nach dem 2. Weltkrieg einen Zuwachs um 10 Millionen Einwohner (1946: 46,190 Millionen; 1961: 56,185 Millionen), der vor allem auf den Zuzug von Vertriebenen und Flüchtlingen zurückzuführen ist. Nach dem Bau der Berliner Mauer wuchs die Wohnbevölkerung der alten Bundesrepublik Deutschland nochmals um sechs Millionen und erreichte 1973 mit 62,1 Millionen zunächst einen Höchststand. Auch dieser Bevölkerungszuwachs war wiederum überwiegend auf Wanderungsgewinne zurückzuführen: Die ausländische Wohnbevölkerung expandierte von knapp 700 Tausend im Jahre 1961 auf 4,1 Millionen im Jahre 1974. Niedrige Geburtenzahlen und eine stark verminderte Zuwanderung aus dem Ausland haben die zwischen 1974 und 1988 zu beobachtende stagnierende Bevölkerungsentwicklung bewirkt. Erst der verstärkte Zuzug von Aussiedlern seit Ende der 1980er-Jahre und die Übersiedler aus den neuen Bundesländern seit 1989 haben zu einem nochmaligen Bevölkerungsanstieg im früheren Bundesgebiet auf inzwischen 66,7 Millionen Einwohner geführt. Zwischen 1980 und 1998 kamen etwa 3 Mio. Aussiedler in die Bundesrepublik Deutschland und zwischen 1989 und 1993 wechselten mehr als 1 Mio. Übersiedler in die alten Länder.

Die Bevölkerung der DDR – von 1950 noch 18,4 Millionen Einwohnern – nahm während der 1950er-Jahre stark (um 1,2 Millionen) und in der Folgezeit bis zur Wiedervereinigung weiterhin kontinuierlich ab. Seit 1989 ist die Zahl der Einwohner auf dem Gebiet der ehemaligen DDR nochmals um 1 Million zurückgegangen und betrug Ende 1998 nur noch 15,4 Millionen (s. Tabelle 1).

Geburtenentwicklung in Ost- und Westdeutschland

Die Geburtenentwicklung in den letzten 40 Jahren verlief keineswegs parallel zur allgemeinen Bevölkerungsentwicklung. In den ersten zehn Nachkriegsjahren, zwischen 1946 bis 1955, lag die Zahl der Geburten im heutigen Gebiet der Bundesrepublik mit gewissen Schwankungen bei jährlich etwa 1,1 Mil-

Tabelle 1: Bevölkerungsentwicklung seit 1950 in Millionen Einwohner (Jahresdurchschnitte)

Jahr	Deutschland		Früheres Bundesgebiet		Neue Länder (incl. Berlin-Ost)	
	insgesamt	darunter Ausländer[1]	insgesamt	darunter Ausländer[1]	insgesamt	darunter Ausländer[1]
1950	68,4		50,0		18,4	
1960	72,7		55,4	0,7	17,2	
1970	77,7		60,7	2,6	17,1	
1980	78,3		61,5	4,6	16,7	
1990	79,4	5,3	63,3	5,2	16,1	0,1
1995	81,7	7,2	66,2		15,5	
1998[2]	82,0	7,3	66,7	7,0	15,3	0,3
1999	82,2	7,3	66,9		15,2	

1 Angaben für 1960 stammen aus der Volkszählung von 1961; 1970 Ergebnis der Volkszählung; ab 1980 Angaben aus dem Ausländerzentralregister.

2 am Jahresanfang

Quelle: Statistisches Jahrbuch 1995, S. 46 und 2000, S. 44

lionen; die zusammengefasste Geburtenziffer[1] bewegte sich um 2,2. Von Mitte der 1950er- bis Mitte der 1960er-Jahre nahm die Zahl der Geburten stetig zu. Die Geburtsjahrgänge 1961 bis 1967 umfassten jeweils etwa 1,3 Millionen. Von 1966 bis 1975 gingen die Geburten kontinuierlich zurück. Verglichen mit dem geburtenstärksten Jahr 1964 hatte sich 1975 die Zahl der Geburten etwa um 40 Prozent verringert.

Im Gebiet der alten Bundesrepublik Deutschland bewegte sich in den folgenden Jahren bis 1986 die Zahl der Geburten, mit gewissen Schwankungen, um 600.000 jährlich und ist dann auf ca. 700.000 Geburten jährlich seit 1990 angestiegen. Der Geburtenrückgang war überwiegend das Ergebnis eines veränderten generativen Verhaltens. Die zusammengefasste Geburtenziffer ging zwischen 1965 und 1985 von 2,51 auf 1,28 zurück; 1998 betrug sie 1,41. Die Veränderungen im generativen Verhalten lassen sich zwar mit verschiedenen sozialen Entwicklungen in Zusammenhang bringen. Welche Faktoren jedoch letztlich die Geburtenentwicklung mit welchem Gewicht ursächlich beeinflusst haben, ist weitgehend ungeklärt. Monokausale Erklärungen (z. B. „Pillenknick“) greifen zu kurz; stattdessen ist eine Fülle von individuellen, familialen und gesellschaftlichen Einflussfaktoren anzunehmen (DEUTSCHER BUNDESTAG, 1994). Im Ergebnis führte die Geburtenentwicklung in der alten Bundesrepublik Deutschland seit Mitte der 1970er-Jahre zu einer der weltweit niedrigsten Geburtenraten. Der Geburtenanstieg bis Mitte der 1990er-Jahre ist auf die hohen Geburtenzahlen Anfang der 1960er-Jahre und die Bevölkerungszunahme zurückzuführen und kein Anzeichen für ein geändertes generatives Verhalten.

---

[1] Sie bezeichnet die Summe der altersspezifischen Fruchtbarkeitsziffern. Sie ist eine um die Veränderungen der Altersgliederung bereinigte Ziffer, die angibt, wieviel Kinder eine Frau im Laufe ihres Lebens zur Welt bringen würde, wenn die Geburtenverhältnisse des jeweiligen Jahres konstant blieben.

In den Angaben sind die Geburten von Ausländern einbezogen, die – gegenläufig zur gesamten Geburtenentwicklung – von 30,9 Tausend 1964 auf 108,3 Tausend 1974 angestiegen sind. Die absolute Zahl der Geburten von Ausländern ist anschließend bis 1985 gesunken und seitdem wieder leicht ansteigend. Deren Geburtenrate ist gleichfalls zurückgegangen und hat sich schon weitgehend an die der Deutschen angeglichen (DEUTSCHER BUNDESTAG 1994, S. 35). Die ausländischen Kinder bleiben aber weiterhin ein bedeutsamer Faktor für die *Schulplanung*, denn im Durchschnitt der Jahre seit 1974 hatten stets mehr als 10 % der Lebendgeborenen eine ausländische Staatsangehörigkeit.

Tabelle 2: Geburtenentwicklung seit 1950, Lebendgeborene in Tausend

Jahr	Deutschland insgesamt	Früheres Bundesgebiet	Neue Länder
1950	1 117	813	304
1955	1 113	820	293
1960	1 262	969	293
1965	1 325	1 044	281
1970	1 047	811	237
1975	782	601	182
1980	866	621	245
1985	814	586	228
1990	906	727	178
1995	765	681	84
1996	796	703	93
1997	812	712	100
1998	785	682	103
1999	771	664	107

Quelle: Stat. Bundesamt: Statistisches Jahrbuch 2000, S. 67–68;

Auf dem Gebiet der ehemaligen DDR weicht seit Mitte der 1970er-Jahre die Geburtenentwicklung von der Situation in Westdeutschland deutlich ab (s. Abbildung 1). Dort kam es bis 1980 nochmals zu einem stärkeren Geburtenanstieg (1975: 180.000, 1980: 245.000 Geburten) und anschließend einem leichten Rückgang bis 1989. Seit 1990 verzeichnen die neuen Bundesländer einen historisch beispiellosen Geburtenrückgang auf etwa ein Drittel der Geburtenzahlen von 1989. Die zusammengefassten Geburtenziffern stiegen zwischen 1975 und 1980 als Ergebnis familienpolitischer Maßnahmen von 1,5 auf 1,9 an, gingen in den folgenden Jahren wieder leicht zurück und sanken in den 1990er-Jahren auf 0,8 ab. Zwar steigt seit 1995 die Zahl der Geburten wieder an, doch verlangsamte sich der Anstieg 1998 auf weniger als zwei Prozent. Die zusammengefasste Geburtenziffer lag bei 1,09. Demographen gehen inzwischen davon aus, dass der erwartete Anstieg der Geburtenzahlen in den neuen Ländern auf das Geburtenniveau in Westdeutschland – wenn überhaupt – dann nur längerfristig als zunächst erhofft eintritt. In Zukunft ist höchstens mit zwei Drittel der Zahl der Geburten der DDR in den 1980er-Jahren zu rechnen, langfristig nehmen die Geburtenzahlen weiter stark ab. Noch mehr nach unten korrigiert werden müssen die Geburtenerwartungen, wenn es nicht gelingt, der anhaltend starken Abwanderung von jungen Frauen aus den neuen Bundesländern (um ca. 25 Prozent) zu begegnen, die durch ein unzureichendes Ausbildungs- und Arbeitsplatzangebot, aber wahrscheinlich auch durch eine Konzentration des Ausbaus der Hochschulen auf „Männerfächer“ (Naturwissenschaft, Technik, Wirtschaftswissenschaften) bedingt ist.

Abb. 1 Entwicklung der zusammengefassten Geburtenziffern in beiden Teilen Deutschlands 1950–1998

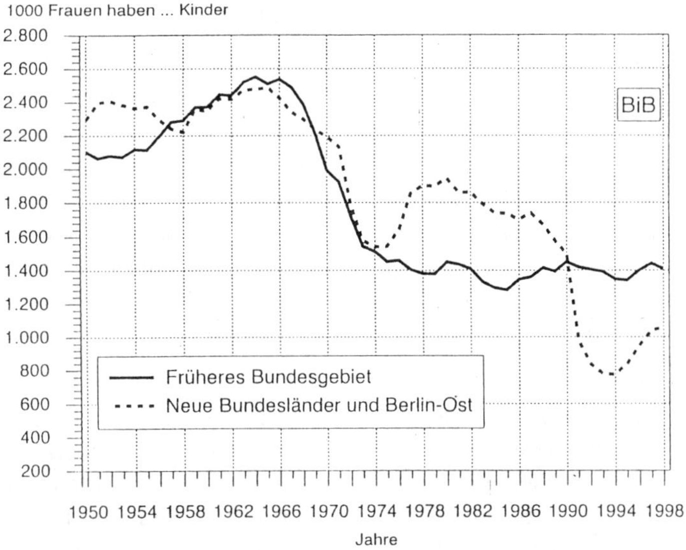

Datenquelle: Statistisches Bundesamt, eigene Berechnungen

Quelle: Grünheid / Roloff 2000, S. 32

Ergebnis einer Modellrechnung zur künftigen Schülerzahlenentwicklung

Durch Fortschreibung der zurückliegenden Geburtsjahrgänge, eine Vorausschätzung der weiteren Geburtenentwicklung und Annahmen über die weitere Entwicklung der Außenwanderungen lassen sich für die verschiedenen Bildungsbereiche die voraussichtlichen Einwohnerzahlen in den einzelnen Altersgruppen bestimmen.[2] Die vorausberechneten Bevölke-

[2] Die hier verwendete Variante einer vom Statistischen Bundesamt in Abstimmung mit der Interministeriellen Arbeitsgruppe Bevölkerungsfragen berechneten Modellrechnung zur Bevölkerungsentwicklung sieht Wanderungsgewinne von jährlich 200.000 und eine konstante Geburtenhäufigkeit der deutschen Bevölkerung vor (Statistisches Bundesamt 2000a, S. 11).

rungszahlen in den für das Schulwesen relevanten Altersgruppen bis zum Jahr 2020 gibt Abbildung 2 wieder. Auf der Grundlage der bisher beschriebenen Entwicklungen der Wohnbevölkerung zeichnen sich folgende Tendenzen ab:

- Der Geburtenanstieg im früheren Bundesgebiet seit Mitte der 1980er-Jahre führte in der Grundschule zu steigenden Schülerzahlen. Dieser Schülerzahlenanstieg macht sich in den nächsten Jahren noch in den weiterführenden Schulen bemerkbar. Nach dem Jahr 2000 werden in der Grundschule die Schülerzahlen wieder abnehmen und nach 2004 wird auch die Sekundarstufe I von dieser Entwicklung erfasst. In den folgenden 15 Jahren ist mit einem Rückgang der Schülerzahlen um etwa ein Viertel zu rechnen.

- In den neuen Ländern setzte 1996 in den Grundschulen ein dramatischer Schülerzahlenrückgang ein, der im Jahr 2000 die Sekundarstufe I erreichte. 2002 wird in der Grundschule die Talsohle mit nur noch 40 Prozent der Schülerzahlen von 1990 erreicht; vier Jahre später tritt diese Situation in der Sekundarstufe I ein. Langfristig ist damit zu rechnen, dass die Schülerzahlen höchstens wieder auf zwei Drittel des Niveaus von 1990 ansteigen werden.

Die Schulpolitik hatte in den letzten beiden Jahrzehnten häufig gleichzeitig steigende Schülerzahlen in einer Schulstufe und sinkend Schülerzahlen in einer anderen Stufe zu bewältigen. Durch die neuen Länder kommt noch hinzu, dass es große regionale Unterschiede der Schülerzahlenentwicklung gibt. Während in den alten Ländern gegenwärtig die Schülerzahlen in der Sekundarstufe I noch steigen, befinden sich die Schulen in den neuen Ländern in der Phase eines starken Schülerzahlenrückgangs. Die Schulplanung muss sich folglich auch in den nächsten Jahrzehnten darauf einstellen, zwischen den Bildungsbereichen und Bundesländern phasenverschoben ablaufende Schrumpfungs- und Anstiegsprozesse planerisch zu bewältigen.

Die Sicherheit der Aussagen über die weitere Entwicklung der Schülerzahlen ist sehr unterschiedlich. Basieren die Prognosen auf bereits bekannten Geburtenzahlen, dann sind sie zuverlässiger, als wenn auch die Geburtenzahlen prognostiziert werden müssen. Je länger der Zeitraum von der Geburt bis zum Beginn eines Ausbildungsabschnitts ist, desto langfristiger kann auf einer bereits bekannten Grundlage prognostiziert werden (vgl. Tabelle 3). Am wenigsten gesichert sind Prognosen für den Primarbereich. Vorausschätzungen, die über einen Zeitraum von fünf Jahren hinausgehen, beruhen bereits teilweise auf Erwartungen in die weitere Geburtenentwicklung. Für die Sekundarstufe I ist demgegenüber die Schülerzahlenentwicklung für die nächsten zehn Jahre durch die bekannte Geburtenentwicklung weitgehend absehbar. Nur die Wanderungsentwicklung ist in dieser Schulstufe für die Planung der Schulentwicklung im nächsten Jahrzehnt ein relevanter Unsicherheitsfaktor. Bei einem Prognosezeitraum von 15 Jahren sind die demographischen Grundlagen der Entwicklung in der Sekundarstufe II und dem Hochschulbereich bereits heute weitgehend bekannt. Da diese Bildungsbereiche aber nicht mehr obligatorisch sind, wird das relativ zuverlässige Wissen über die Jahrgangsstärken durch die Unsicherheit über die Entwicklung des Bildungsverhaltens in diesen Altersgruppen mehr als aufgewogen.

Abb. 2 Entwicklung der Bevölkerung im Schulalter nach ausgewählten Altersgruppen zwischen 1990 und 1998 (Ist) und 2000 bis 2020 (Prognose) in beiden Teilen Deutschlands

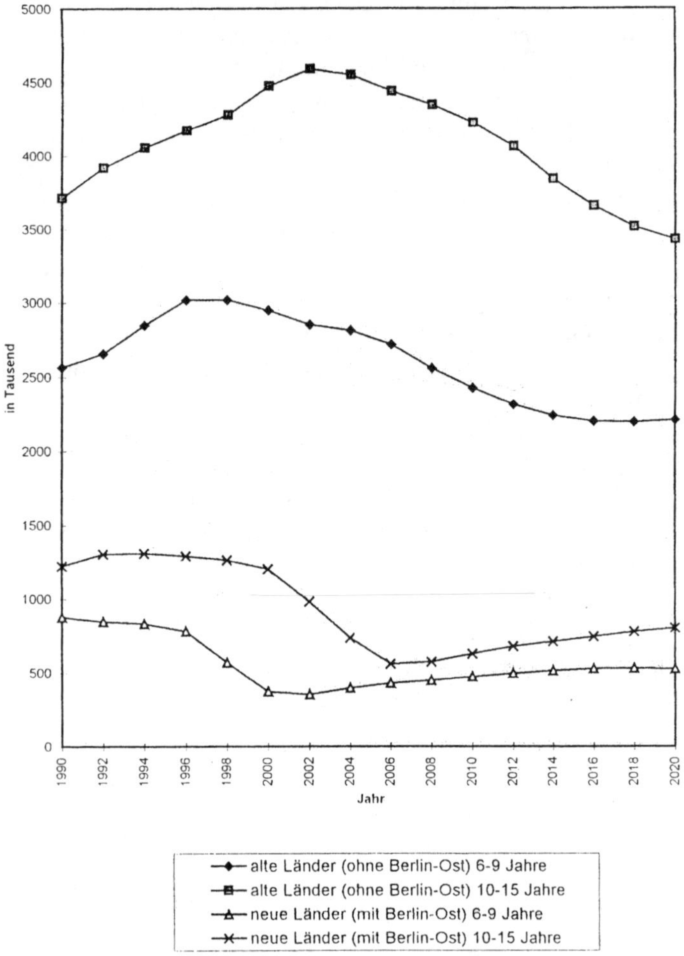

Quelle: 1990–1996: Bundesministerium für Bildung und Forschung: Grund- und Strukturdaten 1999/2000, Bonn 2000, S. 353, 357–358; 1998–2020: Statistisches Bundesamt: Bildung im Zahlenspiegel 2000, Stuttgart 2000, S. 31–33.

Die Geburtenentwicklung hat weitreichende Folgen für die Entwicklung der gesamten Bevölkerung in Deutschland. Nach der jüngsten Modellrechnung wird die gesamte Wohnbevölkerung von 1999 82,0 Millionen Einwohnern bis auf 78 Millionen im Jahr 2030 zurückgehen. Bis 2050 wird ein weiterer Rückgang auf 70,4 Millionen Einwohner erwartet (STATISTISCHES BUNDESAMT, 2000b, S. 21 u. 22). Aus der demographischen Entwicklung werden sich weitreichende Konsequenzen für viele gesellschaftliche Bereiche ergeben. Vor allem wird eine Verlagerung von öffentlichen Aufgaben auf die wachsende Gruppe der Alten notwendig werden. Der Anteil der Alten über 65 Jahre wird von gegenwärtig 16 Prozent der Bevölkerung auf fast 30 Prozent ansteigen.

Anforderungen bei der Planung des Schulangebots

Für das Bildungswesen resultiert aus der Geburten- und allgemeinen Bevölkerungsentwicklung erstens, dass nicht mehr Expansions-, sondern Kontraktionsprozesse als Chancen zur Gestaltung der schulpolitischen Entwicklung genutzt werden müssen. Zweitens stellt die Anpassung an stark schwankende Systemgrößen für das Schulwesen keine einmalige Planungsaufgabe dar, weil sich die gegenwärtigen Anpassungsprobleme an verringerte bzw. steigende Schülerzahlen wiederholen werden. Anstelle eines statischen ist ein langfristiges dynamisches Planungsdenken gefordert. Überlegungen, um diesen Anforderungen bei der Planung des Schulangebots zu entsprechen, werden nachfolgend dargestellt.

Schulplanerische Problemlagen

In der Phase des Schülerzahlenrückgangs in den 1970er- und 1980er-Jahren ist in den alten Bundesländern eine Anpassung des Schulgebäudebestands an abnehmende Jahrgangsbreiten weitgehend unterblieben, denn politische Eingriffe in existie-

Tabelle 3: Sicherheit von Prognosen in den verschiedenen Bildungsbereichen

	Kindergarten (3-5 J.)	Grundschule (6-9 J.)	Sekundarbereich I (10-15 J.)	Sekundarbereich II (16-18 J.)	Hochschule (19-25 J.)
Prognose aufgrund vorliegender Geburtenzahlen	2 Jahre im voraus	5 Jahre im voraus	9 Jahre im voraus	15 Jahre im voraus	18 Jahre im voraus
Prognose teilweise aufgrund vorliegender Geburtenzahlen	3 bis 4 Jahre im voraus	6 bis 8 Jahre im voraus	10 bis 14 Jahre im voraus	16 bis 17 Jahre im voraus	19 bis 24 Jahre im voraus
Prognose nur aufgrund prognostizierter Geburtenzahlen	über 4 Jahre im voraus	über 8 Jahre im voraus	über 14 Jahre im voraus	über 17 Jahre im voraus	über 24 Jahre im voraus

rende Schulstrukturen haben – unter den Vorzeichen eines zu verkleinernden Systems – meist erheblichen Widerstand der Betroffenen zur Folge. Um solchen Konflikten auszuweichen, wurde angestrebt, den Anpassungsprozess an rückläufige Schülerzahlen im Rahmen der bestehenden Schulstrukturen zu vollziehen. Soweit schulorganisatorische Innovationen noch geplant waren, wurde deren Entwicklung von der Schulwahl der Eltern abhängig gemacht (z.B. bei der Einrichtung von Gesamtschulen in Hamburg und Nordrhein-Westfalen). War absehbar, dass Einschränkungen des Bildungsangebots erforderlich wurden, wartete die Schulverwaltung ab, bis eine Schule mangels Schülern schließen musste, plante aber nicht Schulschließungen im Hinblick auf ein weiterhin möglichst flächendeckendes Angebot. Dadurch nahm aber die Wirtschaftlichkeit des regionalen Schulsystems deutlich ab. Dies äußerte sich unter anderem darin, dass zwischen 1975 und 1983 die preisbereinigten Sachausgaben je Schüler um 23 % zunahmen, während die Schülerzahlen um 20 % zurückgingen (WEISHAUPT / WEIß, 1988, S. 342), denn bei konstantem Gebäudebestand führte der Schülerzahlenrückgang zu erheblichem ungenutzten, aber weiterhin Kosten verursachenden Schulraum[3]. Bei den Schulträgern hat diese Entwicklung kaum Beachtung gefunden, weil kameralistisches Denken vorherrschte und durch die Beschränkung von Schulbauinvestitionen auf gebäudeerhaltende Maßnahmen die Schulausgaben der Schulträger insgesamt rückläufig waren.

Angesichts der im Vergleich zu den 1970er- und 1980er-Jahren prekären Situation der öffentlichen Haushalte ist eine auf Bestandssicherung der bestehenden Schulen orientierte Schulentwicklungsplanung dann unrealistisch, wenn es nicht gelingt, die Sachausgaben je Schüler für den Gebäudeunterhalt und Schülertransport auch bei niedrigeren Schülerzahlen an-

[3] Eine englische Fallstudie kam ebenfalls zu dem Ergebnis, dass die Sachausgaben je Schüler um den gleichen Prozentsatz ansteigen, um den die Schülerzahlen zurückgehen (Hinds 1986, S. 26).

nähernd konstant zu halten. Im Blick auf eine prioritätengeleitete Mittelallokation wurde es im letzten Jahrzehnt außerdem wichtig, dem Schulwesen durch eine unwirtschaftliche regionale *Schulorganisation* keine Mittel zu entziehen, die z. B. sinnvoller für eine Verbesserung der Unterrichtsbedingungen verwendet werden könnten. Vor diesem Hintergrund verlangt die weitere demographische Entwicklung von der Schulpolitik eine Entscheidung darüber, wie das bestehende Schulangebot weiterentwickelt werden soll: über eine Konzentration auf zentral gelegene und organisatorisch leistungsfähige Einrichtungen oder über Ansätze zur Sicherung des gegenwärtigen Standortnetzes der Schulen. Schulorganisatorische Überlegungen sind an diesem Punkt mit regionalpolitischen verbunden: Sind Schulen auch im ländlichen Raum vor allem Bildungseinrichtungen, die möglichst qualifizierte und gleichwertige Bildungschancen eröffnen sollen oder sind sie auch kulturelle Zentren von Gemeinden, Beschäftigungsorte für hochqualifizierte Arbeitskräfte, die für die Überlebensfähigkeit von ländlichen Gemeinden eine wichtige und über den Unterricht für die Kinder der Gemeinde hinausgehende Aufgabe und Funktion haben?

Die neuen Länder werden durch den starken Geburtenrückgang noch dadurch vor besondere Probleme gestellt, weil deren Siedlungsdichte – mit Ausnahme von Sachsen – deutlich unter der Siedlungsdichte der Länder der alten Bundesrepublik Deutschland (1997 = 268 Einwohner je qkm) liegt. Thüringen und Sachsen-Anhalt erreichen nicht ganz die Siedlungsdichte von Niedersachsen, dem am dünnsten besiedelten westdeutschen Bundesland (165 Einwohner/qkm). Brandenburg und Mecklenburg-Vorpommern sind nur halb so dicht besiedelt. Dadurch werden sich in vielen Regionen Probleme der Erreichbarkeit des Schulangebots ergeben, wenn Schulstandorte durch den Schülerzahlenrückgang aufgegeben werden müssen.

Angebotsstrukturen in der Grundschule und Sekundarstufe I

In Thüringen wurden die Konsequenzen des Geburtenrückgangs für die Entwicklung der Grundschulen, Regelschulen und Gymnasien analysiert (KUTHE / ZEDLER, 1995, 1999). Dort kam man zu dem Ergebnis, dass die Schließung einer großen Zahl von Grundschulen nur vermieden werden kann, wenn Schulen mit jahrgangsübergreifenden Klassen schulrechtlich ermöglicht werden. Für Mecklenburg-Vorpommern konnte über alternative Standortsimulationen nachgewiesen werden, dass langfristig ein mit der gegenwärtigen Situation vergleichbares Standortnetz einzügiger Grundschulen bestandsfähig ist, wenn für die Jahre der niedrigsten Schülerzahlen an Grundschulen im ländlichen Raum jahrgangsübergreifende Klassen zugelassen werden (FICKERMANN / SCHULZECK / WEISHAUPT, 2000 a).

Die Konsequenzen des Geburtenrückgangs für die Schularten in der Sekundarstufe I sind weniger eindeutig absehbar, weil in dieser Schulstufe zu der demographischen Entwicklung noch Veränderungen in der Bildungsbeteiligung hinzukommen können. Dadurch steht die Angebotsdichte von Haupt-/ Realschulen und Gymnasien in einer Wechselbeziehung. Mit einer Erhöhung der Übergangsquote auf das Gymnasium steigt die Zahl der dauerhaft tragfähigen Gymnasien, während zugleich die Zahl der Angebotsstandorte von Haupt-/ Realschulen abnimmt.

Auch wenn bei Prognosen mögliche Verschiebungen in den Besuchsquoten der verschiedenen weiterführenden Schularten und Bildungsgänge ignoriert werden, ergibt sich bereits durch den Rückgang der Schülerzahlen in den neuen Ländern die Gefährdung einer großen Zahl des gegenwärtigen Bestands von Schulstandorten, da dort die Sekundar-, Mittel- bzw. Regelschulen in den 1990er-Jahren durchschnittlich nur 2–3 und die Gymnasien 3–4 Parallelklassen aufwiesen (WEISHAUPT / ZEDLER, 1994, S. 412). Um die Verringerung des

Schulnetzes in der Sekundarstufe I in einer vertretbaren Größenordnung zu halten, wird es in der Planungsstudie für Thüringen als notwendig angesehen, zur Überbrückung der Jahre mit den niedrigsten Schülerjahrgängen Regelschulen mit nur einer Klasse je Jahrgang und Gymnasien mit zwei Klassen je Jahrgang zuzulassen, wenn absehbar ist, dass nach 2015 Zweizügigkeit bei der Regelschule und wenigstens 50 Schüler je Jahrgang im Gymnasium wieder erreicht werden. Aus Gründen der fachlichen Qualität des Unterrichts hat eine Kommission der Landesregierung in Brandenburg empfohlen, an einer Mindestgröße der Haupt-/ Realschulen von zwei Parallelklassen je Jahrgang festzuhalten (LANDESREGIERUNG BRANDENBURG, 2000). In Mecklenburg-Vorpommern wären mit dieser Planungsvorgabe 70 % der Schulstandorte weiterführender allgemein bildender Schulen gefährdet (FICKERMANN / SCHULZECK / WEISHAUPT, 2000 b).

In den alten Bundesländern stehen durch den Schülerzahlenrückgang in wenigen Jahren die in den 1980er-Jahren unterlassenen Schulschließungen und Reorganisationen des Schulwesens wieder zur Diskussion, weil die finanziellen Spielräume wie in den 1980er-Jahren für die Länder und Schulträger voraussichtlich nicht mehr bestehen. Die einschneidenden Konsequenzen, die sich für die neuen Länder andeuten, sind mit den in den alten Ländern voraussehbaren Maßnahmen aber nicht verbunden.

Handlungsansätze der *Schulplanung*

Initiativen zur Novellierung der Schulgesetze und Verordnungen zur Schulentwicklungsplanung in Mecklenburg-Vorpommern und Sachsen-Anhalt und aktuelle Planungsüberlegungen für Brandenburg (LANDTAG BRANDENBURG, 2000) und Thüringen (KUTHE / ZEDLER, 1999) zeigen, dass durch den Geburtenrückgang eine neue Schulstrukturdebatte ausgelöst worden ist. Nachdem sich die ostdeutschen Länder 1991/1992 mit den neuen schulorganisatorischen Strukturen an westdeutschen Vorbildern orientiert hatten, müssen sie nun verstärkt nach schulstrukturellen Lösungen suchen, die den spezifischen demographischen und siedlungsstrukturellen Gegebenheiten besser angepasst sind.

Aber auch in den alten Bundesländern gibt es Überlegungen zur Weiterentwicklung der Schulstruktur, die durch den zu erwartenden Rückgang der Schülerzahlen zusätzliche Impulse erhalten. Sämtliche neue Überlegungen können es erforderlich machen, die Schulgesetze der Länder zu novellieren, beispielsweise um den Schulträgern mehr Handlungsfreiheit bei der Entscheidung über schulorganisatorische Strukturen einzuräumen. Solche erweiterten Handlungsoptionen wären zum Beispiel:

- Jahrgangsübergreifender Unterricht, insbesondere in der Grundschule (FICKERMANN / WEISHAUPT / ZEDLER, 1997, 1998).
- Die Grundschulgebäude können durch eine organisatorische Anbindung der folgenden beiden Jahrgänge (Orientierungs-/ Förderstufe) intensiver genutzt werden (POHL, 1985, weitergehende Möglichkeit: 6-jährige Grundschule, wie in Berlin und Brandenburg). Hierdurch würde auch die organisatorische Flexibilität der Grundschulen zusätzlich verbessert.
- Schulverbünde in der Sekundarstufe I (HOLTAPPELS / ROESNER, 1994, S. 57–98). In dieser Hinsicht haben die alten im Vergleich zu den neuen Ländern, in denen die kombinierte Haupt-/ Realschule oder die Gesamtschule neben dem Gymnasium vorherrscht, Nachholbedarf. Zu berücksichtigen ist in diesem Zusammenhang für schon bestehende Haupt-/ Realschulen die Anbindung eines gymnasialen Zweiges.
- Die gymnasiale Unter- und Mittelstufe (gymnasiale Sekundarstufe I, Progymnasium) können organisatorisch und räumlich von der gymnasialen Oberstufe (gymnasiale Sekundarstufe II) getrennt werden. Gegen Bestrebungen, den

neunjährigen gymnasialen Bildungsgang zu zerschneiden, gibt es erhebliche Widerstände. Doch besteht die Alternative in einer weitgehenden Einschränkung der Wahlmöglichkeiten in der gymnasialen Oberstufe (vgl. BARGEL / KUTHE, 1992). Nur über die Trennung einer dezentralisierten gymnasialen Unter- und Mittelstufe von einer zentralisiert angebotenen Oberstufe, lässt sich das notwendige Maß an Wahlfreiheit in der gymnasialen Oberstufe erhalten, ohne die erreichte Dezentralisierung der gymnasialen Standorte bis zur Klasse 10 wieder zurücknehmen zu müssen.

- Allgemein bildende und berufliche Vollzeitausbildung in der Sekundarstufe II können räumlich und organisatorisch verbunden werden.

Welche pädagogischen und finanziellen Auswirkungen mit den unterschiedlichen denkbaren Maßnahmen verbunden sind, ist angesichts der dramatischen Veränderungen im Kapazitätsbedarf des Schulsystems der neuen Länder kaum absehbar. Neu geschaffene Schulstrukturen lassen sich im Nachhinein aber auch nicht mehr revidieren, wenn beispielsweise Schulen geschlossen und Lehrer versetzt wurden. Im Übrigen sind die Entscheidungssituationen so komplex, dass die Vielfalt der unterschiedlichen Wirkungen und Nebenfolgen kaum überschaubar ist. Angesichts der sehr angespannten finanziellen Situation der Länder und kommunalen Schulträger wäre aber eine möglichst effiziente Reorganisation des Schulsystems besonders wünschenswert. Wichtig wäre zudem, die Auswirkungen sowohl für das Land als auch für die Schulträger simultan zu erfassen. Wichtig ist es in diesem Zusammenhang, sich von der Fixierung auf die Personalausgaben bei Effizienzüberlegungen im Schulwesen zu lösen, obwohl sie den wichtigsten Teil der Schulausgaben ausmachen.

Notwendig dafür ist es, zunächst ein Modell für ein standortbezogenes Schulsystem zu entwickeln, das es erlaubt, unterschiedliche Planungslösungen zu simulieren. Für diese Lösungen wird anschließend ein Ansatz benötigt, um sie hinsichtlich ihrer pädagogischen, regionalen und finanziellen Implikationen zu bewerten. Solche in den letzten Jahren durchgeführte Simulationsrechnungen haben zu nicht immer erwarteten Befunden geführt, die die Wichtigkeit von ganzheitlichen, systemischen Betrachtungen der Planungsprobleme unterstreichen (FICKERMANN / SCHULZECK / WEISHAUPT, 2000a, 2000b), um suboptimale, ausgabenintensive, pädagogisch und regionalpolitisch fragwürdige Schulnetzplanungen zu vermeiden. An diesem Beispiel wird deutlich, dass die in den letzten Jahren rasant erweiterten technischen Möglichkeiten für den Einsatz von Simulationsverfahren auch bei der Planung öffentlicher Infrastruktureinrichtungen und insbesondere der Schulstandortplanung eingesetzt und dafür spezielle Programme entwickelt werden sollten.

Lehrerbedarf

Der Rückgang der Schülerzahlen hat auch weitreichende Folgen für den Lehrerbedarf. Bis etwa 2005 verringert sich der Lehrerbestand durch altersbedingten Ruhestand etc. in den neuen Ländern langsamer als die Schülerzahlen. Die neuen Länder haben deshalb vertragliche Vereinbarungen mit den Lehrerverbänden geschlossen, die zeitweise Senkungen der Stundendeputate für einzelne Lehrämter bis auf 50 % erlauben, um die Entlassung von Lehrern zu vermeiden. Die Konsequenzen dieser Personalpolitik für die pädagogische Arbeit in den Schulen der neuen Länder sind noch nicht abzusehen. Vorauszusehen sind überalterte Kollegien mit Lehrern, die nebenbei noch einer weiteren Beschäftigung nachgehen müssen, um ihre Familie zu ernähren. Wie soll im Übrigen die Zusammenarbeit in einem Kollegium funktionieren, das fast ausschließlich aus Teilzeitkräften besteht? Hinzu kommt für die Arbeit der Lehrer die Bewältigung der notwendigen Strukturveränderungen im Schulwesen, die durch den starken Schülerrückgang ausgelöst werden.

Während – wie bereits ausgeführt – in der Grundschule über jahrgangsübergreifende Klassen die meisten Standorte bestehen bleiben könnten, werden in der Sekundarstufe I und II viele Standorte aufgegeben werden müssen, um übliche *Standards* der Unterrichtsqualität einhalten zu können. Damit verschlechtern sich nicht nur die Arbeitsbedingungen für die Lehrer, sondern auch die Bedingungen des Zugangs zu weiterführenden Bildungsangeboten für die Schüler. Daneben muss auch darauf geachtet werden, dass über das Schulangebot das Netz zentraler Orte im ländlichen Raum weiterhin gestützt und eine infrastrukturelle Mindestversorgung gesichert wird. Während der Ausbau des Schulnetzes im ländlichen Raum Westdeutschlands in den 1960er- und 1970er-Jahren dessen Attraktivität in der Konkurrenz zu den Städten und verstädterten Regionen erhöhte, droht nun den ländlichen Regionen Ostdeutschlands ein Verlust an Attraktivität mit möglicherweise weitreichenden Folgewirkungen.

Durch den Kulturföderalismus sind die alten Bundesländer von den dramatischen Folgen des Schülerzahlenrückgangs für die Schulsysteme und die Lehrerbeschäftigung in den neuen Ländern nicht betroffen. Der sich dort abzeichnende Schülerzahlenrückgang verläuft gemäßigt und lässt keine Zuspitzungen erwarten. Unterlassene Strukturanpassungen werden aber nachgeholt werden müssen, weil die finanziellen Rahmenbedingungen nach effizienten Anpassungsstrategien verlangen. Die Folge wird zunehmend in allen Flächenstaaten sein, dass in den Städten und Verdichtungsräumen ein zentralisiertes und effizient organisiertes Schulangebot erreicht werden muss, um in den peripheren ländlichen Regionen ein qualifiziertes wohnortnahes Schulangebot aufrechterhalten und den erhöhten Personalbedarf finanzieren zu können. Dies ist eine wichtige Aufgabe der Schulplanung bei rückläufigen Schülerzahlen, um zu gleichwertigen Lebensbedingungen der Bevölkerung und vor allem gleichen Bildungschancen der Schüler in allen Regionen Deutschlands beizutragen.

Literatur

BARGEL, T. / KUTHE, M.: Regionale Disparitäten und Ungleichheiten im Bildungswesen. In: Arbeitsgruppe Entwicklung des Bildungswesens der Deutschen Gesellschaft für Erziehungswissenschaft: Strukturprobleme, Disparitäten, Grundbildung in der Sekundarstufe I. Weinheim 1992, S. 41–103.

DEUTSCHER BUNDESTAG: Familien und Familienpolitik im geeinten Deutschland – Zukunft des Humanvermögens. Fünfter Familienbericht. BT-Drucksache 12/7560 vom 15.6.1994, Bonn 1994.

FICKERMANN, D. / SCHULZECK, U. / WEISHAUPT, H.: Die Kosten-Wirksamkeitsanalyse als methodischer Ansatz zur Bewertung alternativer Schulnetze. Bericht über eine Simulationsstudie. In: Zeitschrift für Pädagogik 46(2000) H. 1, S. 61–80. (a)

FICKERMANN, D. / SCHULZECK, U. / WEISHAUPT, H.: Zur Effizienz regionaler Schulstandortsysteme am Beispiel von Mecklenburg-Vorpommern. In: WEIß, M. / WEISHAUPT, H. (Hrsg.): Bildungsökonomie und Neue Steuerung. (Beiträge zur Bildungsplanung und Bildungsökonomie, Bd. 9), Frankfurt am Main 2000, S. 169–202. (b)

FICKERMANN, D. / WEISHAUPT, H. / ZEDLER, P.: Kleine Grundschulen in den neuen Bundesländern vor dem Hintergrund internationaler Erfahrungen. Gutachterliche Stellungnahme für die Kultusministerien Mecklenburg-Vorpommerns und Thüringens. Bad Berka 1997.

FICKERMANN, D. / WEISHAUPT, H. / ZEDLER, P. (Hrsg.): Kleine Grundschulen in Europa. Berichte aus elf europäischen Ländern. Weinheim 1998.

GRÜNHEID, E. / ROLOFF, J.: Die demographische Lage in Deutschland 1999 mit dem Teil B „Die demographische Entwicklung in den Bundesländern – ein Vergleich“. In: Zeitschrift für Bevölkerungswissenschaft 25 (2000) H. 1, S. 3–150.

HESSISCHES INSTITUT für Bildungsplanung und Schulentwicklung (Hrsg.): Schulentwicklung bei sinkenden Schülerzahlen (Materialien zur Schulentwicklung, Heft 1). Wiesbaden 1982.

HINDS, T. M.: The Rising Costs of Falling Rolls. In: WATSON, L. E. (Hrsg.): Management in the Light of Falling Enrolments. (Sheffield Papers in Education Management 55) Sheffield 1986, S. 21–26.

HOLTAPPELS, H. G. / ROESNER, E.: Schulen im Verbund. In: ROLFF, H.-G. u. a. (Hrsg.): Jahrbuch der Schulentwicklung Band 8. Daten, Beispiele und Perspektiven. Weinheim, München 1994, S. 57–98.

KUTHE, M. / ZEDLER, P.: Entwicklung der Thüringer Grundschulen. Gutachten im Auftrag des Thüringer Kultusministeriums. Erfurt 1995.

KUTHE, M. / ZEDLER, P.: Entwicklung der Thüringer Regelschulen und Gymnasien. Gutachten im Auftrag des Thüringer Kultusministeriums. Erfurt 1999.

LANDESREGIERUNG BRANDENBURG (Hrsg.): Bericht der Regierungskommission „Entwicklung der Schulen der Sekundarstufe I im ländlichen Raum des Landes Brandenburg“ an die Landesregierung, Potsdam 2000.

POHL, U.: „Wohnortnahes Schulangebot“ – ein Problem regionaler Bildungsplanung (Materialien zur Schulentwicklung, Heft 6). Wiesbaden 1985.

STATISTISCHES BUNDESAMT (Hrsg.): Bevölkerungsentwicklung Deutschlands bis zum Jahr 2050. Ergebnisse der 9. koordinierten Bevölkerungsvorausberechnung, Wiesbaden 2000.

WEISHAUPT, H. / WEIß, M.: Bildungsbudget und interne Mittelallokation. In: Zeitschrift für Pädagogik 34 (1988), S. 535–553.

WEISHAUPT, H. / ZEDLER, P.: Aspekte der aktuellen Schulentwicklung in den neuen Ländern. In: ROLFF, H.-G. u. a. (Hrsg.): Jahrbuch der Schulentwicklung Band 8. Daten, Beispiele und Perspektiven. Weinheim, München 1994, S. 395–429.

LUTZ R. REUTER

Rechtliche und pädagogische Aspekte der Beschulung von Kindern und Jugendlichen nichtdeutscher Erstsprache

Die weltweite *Migration* berührt in massiver Weise die nationalstaatlichen Interessen der entwickelten Zentren, deren Widersprüchlichkeit in der Gleichzeitigkeit von Zuwanderungsanreiz und -abwehr deutlich wird. Rechtsfragen spielen daher keine geringe Rolle. Denn Migration steht im Schnittbereich von internationalem, zwischenstaatlichem und nationalem Recht. Die ersten beiden Rechtssysteme lassen erhebliche Spielräume in Bezug auf Zahl, Art und Zusammensetzung der Zuwandererpopulation zu; im nationalen Rechtssystem demokratischer Rechtsstaaten begrenzt der Gleichheitssatz das Prinzip der politischen Opportunität. Innerstaatlich ist das Bildungswesen die wichtigste öffentliche Institution der Integration und Assimilation der „Fremden“. Der Staat steuert über das Bildungsrecht das Schul- und Bildungswesen. Im Schulrecht spiegeln sich insofern die Interessen und Ziele der politischen Akteure wider. Gegenstand des folgenden Beitrags ist daher eine Bestandsaufnahme des bestehenden Regelsystems zur schulischen Versorgung der „Fremden“ und die aus ihrer Anwesenheit resultierenden Anforderungen an Schulpolitik und Schulpädagogik.[1]

Wie schwer sich die für Schulpolitik und Schulrecht Verantwortlichen immer noch mit der Anwesenheit von Zuwande-

[1] Die Ausführungen stützen sich auf meinen Beitrag „Schulrechtliche und schulpraktische Fragen der schulischen Betreuung von Kindern und Jugendlichen nichtdeutscher Erstsprache“, publiziert in: Recht der Jugend und des Bildungswesens (RdJB) 1999, S. 26ff.

rern im deutschen Schulwesen tun, spiegelt die Vielfalt der Begriffe. In den offiziellen Rechtstexten ist die Rede von Ausländerkindern, ausländischen Schülern und Kindern von in Deutschland lebenden ausländischen Arbeitnehmern, von Flüchtlings- oder Asylbewerberkindern, von „Kindern, deren Erstsprache nicht Deutsch ist“, „Kindern nichtdeutscher Muttersprache“ oder gar „Kindern besonderer Personengruppen“, ein Begriff, unter den zugewanderte ebenso wie lernschwache und behinderte Kinder subsumiert werden.[2] Bis heute beeinflusst der staatsbürger- und aufenthaltsrechtliche Status das Schulrecht, obwohl für die Schulen, deren Aufgaben schulgesetzlich durch den „Erziehungs- und Bildungsauftrag“[3] und das „Recht auf Schulbildung“[4] für alle Kinder und Jugendlichen definiert sind, allein die Lernausgangslage, insbesondere die Kenntnis der deutschen Sprache, nicht aber Staatsbürgerschaft oder Aufenthaltsstatus ihrer Schüler von Bedeutung sind. Bekanntlich haben manche (Aussiedler-) Schüler zwar einen deutschen Pass, sprechen aber nicht Deutsch. Viele Kinder nichtdeutscher Nationalität sind hingegen zweisprachig aufgewachsen, d. h. verfügen über Kenntnisse in der deutschen wie in der Herkunftssprache ihrer Eltern; und viele Zuwanderer vor allem der zweiten Generation sind nicht mehr Arbeitnehmer, sondern Selbständige. Die heute verbreiteten Begriffe der „Migranten“ oder „Zuwanderer“ erfassen zwar auch die Aussiedler, doch entsprechen sie nicht der Lebensgeschichte der in Deutschland geborenen Kinder oder Enkel von Zuwanderern. In einigen neueren Schulgesetzen ist daher von „Kindern und Jugendlichen (bzw. Schülerinnen und Schülern), deren Erstsprache nicht Deutsch ist“[5] oder „Schülern nichtdeutscher Herkunftssprache“[6] die Rede.

[2] Exemplarisch die Terminologie aus drei Bundesländern (MV, ST, SL; Abkürzungen gemäß Bundesministerium für Bildung und Wissenschaft [BMFT], Grund- und Strukturdaten 1999/2000, S. 4).

[3] Z. B. §§ 2–4 SchulG MV.

[4] Z. B. § 1 Schulgesetz (SchulG) HH.

[5] § 3 Abs. 3 SchulG HH bzw. § 8 a Abs. 1 SchulG HE.

[6] § 35 a SchulG BE.

Allgemeine Rechtsgrundlagen für Zuwandererkinder

Im Grundgesetz werden Minderheiten nicht explizit erwähnt. Der Gleichheitssatz in Art. 3 Abs. 3 GG verbietet allerdings, dass jemand „wegen seines Geschlechts, seiner Abstammung, seiner Rasse, seiner Sprache, seiner religiösen oder politischen Anschauungen benachteiligt oder bevorzugt wird". Diese Differenzierungsverbote verbieten eine willkürliche Diskriminierung, nicht aber jede Form der Ungleichbehandlung.[7] Nicht ist es etwa untersagt, Kinder von (Zuwanderer-) Minderheiten wegen ihrer Ungleichheit z.B. in Bezug auf Deutschkenntnisse oder kulturelle Differenz ungleich zu behandeln, d.h. beispielsweise den Besuch von Vorbereitungsklassen oder Förderunterricht verbindlich vorzuschreiben oder muttersprachlichen Unterricht anzubieten. Dies ergibt sich aus dem Verfassungsgebot der proportionalen Gleichbehandlung wie dem der Bildungschancengleichheit.[8] Einige Länderverfassungen enthalten Bestimmungen zur Achtung und zum Schutz nationaler und ethnischer Minderheitengruppen deutscher Staatsangehörigkeit; allein die Sächsische Verfassung erwähnt auch ausländische Zuwanderer.[9] Nur den autochthonen Minderheiten der Sorben, Dänen und Friesen werden von Verfassungs wegen Ansprüche auf sprachlich-kulturelle Förderung eingeräumt.

Das „Schulrecht für Zuwandererkinder" beruht bis heute auf der Wanderarbeiterrichtlinie der Europäischen Gemeinschaft (EG) von 1977 und dem Ausländerkinderbeschluss der Kultusministerkonferenz (KMK) von 1976/79.[10] Beiden liegt die

[7] Vgl. Bundesverwaltungsgericht, Entscheidungssammlung (BVerwGE) Bd. 22, S. 66 (69).

[8] Vgl. Bundesverfassungsgericht, Entscheidungssammlung (BVerfGE) 1, S. 264 (275f.). und 33, S. 303 (330f).

[9] Art. 25 Landesverfassung (Verf.) BB; Art. 18 Verf. MV; Art. 5 f. Verf. SN; Art. 37 Verf. ST; Art. 5 Verf. SH.

[10] Richtlinie des Rates der Europäischen Gemeinschaften über die schulische Betreuung der Kinder von Wanderarbeitnehmern vom 25.7.1977, in: Amtsblatt-EG L199/32; KMK: Unterricht für Kinder ausländischer Arbeitnehmer, Beschluss vom 8.4.1976 in der Fassung (i.d.F.) vom 26.10.1979 (Beschlusssammlung 899.1).

Doppelzielsetzung der Integrations- und Rückkehrförderung zugrunde. Mit dem Ziel der Rückkehrförderung verbinden sich Aufgaben der muttersprachlichen und herkunftskulturellen Sozialisation. Im Rahmen der Europäischen Union (EU) mag diese Zielsetzung für mobile Unionsbürger noch hinnehmbar sein, für den größten Teil der Zuwanderer in Deutschland ist dies ebenso wirklichkeitsfremd wie verfehlt[11]. Die Schule kann die ohne in sich widersprüchliche Doppelaufgabe von Integration und Rückkehrorientierung nicht einmal für Schüler aus den quantitativ bedeutsamsten Herkunftsländern leisten. Gravierender ist die Kritik, wonach die rechtsstaatlichen Monita zu den Normierungsdefiziten und zu den vorhandenen Normen für „Schüler, deren Muttersprache nicht Deutsch ist", welche die Kommission *Schulrecht* des Deutschen Juristentages schon 1981 formuliert hatte, bis heute praktisch nicht ausgeräumt sind[12]. Zwar konnte sich die Kommission selbst nur zur Empfehlung einiger Regelungen zur Integration, zur Anerkennung der Muttersprache als Fremdsprache und zur muttersprachlichen Information der Eltern entschließen. Zumindest schulgesetzliche Ermächtigungen zur Verordnungsgebung mahnte sie an für den muttersprachlichen Ergänzungsunterricht, die Vorbereitungsklassen, den Religionsunterricht, den Einsatz nichtdeutscher Lehrer, die Vertretung in Schulgremien und fremdsprachliche Zusätze in den Zeugnissen.[13] Während alle für die Stellung der Schüler in der Schule wichtigen Fragen für Deutsche heute gesetzlich geregelt sind, ist dies für nichtdeutsche Schüler nicht der Fall. Nur die Schulgesetze von Berlin, Hamburg und

[11] Vgl. Reuter, L.: Rechtliche Aspekte der Zuwanderung nach Deutschland, in: C. Robertson-Wensauer (Hrsg.): Multikulturalität – Interkulturalität. Baden-Baden 2000, S. 143ff.

[12] Deutscher Juristentag: Band 1: Schule im Rechtsstaat, Entwurf für ein Landesschulgesetz. Bericht der Kommission Schulrecht. München 1981; vgl. Avenarius, H. / Heckel, H.: Schulrechtskunde. Neuwied 2000, S. 92ff.

[13] Ebd. S. 152f.

Hessen enthalten grundlegende Aussagen zur Beschulung von Zuwandererkindern; zwei weitere Schulgesetze (BB, SN) treffen Bestimmungen zur schulischen Versorgung der Kinder autochthoner Minderheiten (Sorben), und das Schulgesetz von Schleswig-Holstein regelt die Finanzierung dänischer Privatschulen und den Rechtsanspruch auf Genehmigung dänischer Grundschulen.[14] Immerhin acht Schulgesetze enthalten im Rahmen der Bestimmungen zur Schulpflicht ergänzende Regelungen oder Ausnahmen für Zuwandererkinder[15].

Zusammensetzung der Zuwanderungsbevölkerung und Rechtsstatus der Zuwandererkinder im Schulwesen

Im Bundesgebiet leben z. Zt. etwa 7,5 Mio. Personen ohne deutschen Pass von unterschiedlichem aufenthaltsrechtlichen Status (ca. 9 % der Bevölkerung). Seit 1960 sind außerdem ca. 3,5 Mio. Aussiedler zugewandert, davon von 1980 bis 1990 und 1990 bis 1999 jeweils 1,4 Mio. (vgl. Tab. 1–2); bei deren Einbeziehung beträgt der Anteil der Zuwanderer an der Gesamtbevölkerung etwa 12 %. Folgende Gruppen konstituieren die Zuwanderungsbevölkerung:

- Ausländische Arbeitnehmer bzw. Selbständige und deren Familienangehörige aus den ehemaligen „Anwerbestaaten“ sowie die aufgrund ergänzender Vereinbarungen mit weiteren Staaten wie z. B. Korea (insbesondere Krankenpflegepersonal) oder neuerdings weltweit (z. B. IT-Personal [„Greencard“]) angeworbenen Spezialarbeitskräfte;
- die in den östlichen Bundesländern verbliebenen DDR-Vertragsarbeiter und deren Familienangehörige, insbesondere aus den ehemaligen RGW-Ländern;

---

[14] § 35 a SchulG BE; § 3 Abs. 3 SchulG HH; § 8 a SchulG HE; § 10 SorbenG BB u. § 5 SchulG BB; § 2 SchulG SN; §§ 60, 63 SchulG SH.

[15] § 72 Abs. 1 SchulG BW; Art. 36 Abs. 3 SchulG (BayEUG) BY u. Art. 1 Abs. 6 SchulpflichtG BY; § 15 SchulG BE; § 36 SchulG BB; §§ 55, 57 SchulG HB; § 70 SchulG NI; § 40 SchulG SH; § 17 SchulG TH.

- Werkvertragsarbeitnehmer, die im Rahmen von Regierungsabkommen mit zahlreichen mittelosteuropäischen Staaten [MOES] und der Türkei für maximal drei Jahre im Bundesgebiet arbeiten, und Familienangehörige;
- deutschstämmige Aussiedler aus zahlreichen osteuropäischen Staaten, insbesondere aus Polen, Rumänien, Russland und anderen GUS-Staaten;
- Asylbewerber sowie Konventions-, Kontingent-, Kriegs- und Bürgerkriegsflüchtlinge aus dem Nahen Osten, den GUS-Staaten, der Dritten Welt, Asien, den Bürgerkriegsgebieten des Balkans und der Türkei;
- jüdische „Quasi-Kontingentflüchtlinge" aus der ehemaligen UdSSR, die zwar unter das Kontingentflüchtlingsgesetz fallen, für die aber keine Quotierung besteht.

Dass der jeweilige aufenthaltsrechtliche Status[16] auch faktisch Folgen für die Bildungschancen hat, ist offenkundig und heute auch unbestritten. Diese sind extrem ungünstig bei Kindern von Zuwanderern mit ungesichertem Aufenthaltsrecht, z. B. bei Kindern abgelehnter, aber wiederholt kurzfristig geduldeter Asylbewerber; diese und Kinder von Asylbewerbern und Kriegsflüchtlingen besuchen z. T. gar nicht die Schule. Die Bildungschancen der zweiten und dritten „Gastarbeiter-Generation" haben sich gegenüber denen deutscher Kinder vergleichbaren Sozialstatus weitgehend angeglichen. Der schulrechtlich zu beobachtende Sprachwandel von ausländischen Schülern zu Schülern nichtdeutscher Erstsprache hat indes nicht alle statusrechtlichen Differenzen in der Schule beseitigt. Zwar steht die wichtigste Fördermaßnahme, der Unterricht in Deutsch als Zweitsprache, allen Zuwandererkindern zur Verfügung. Doch schon die Regelungen zu den Feststellungsprüfungen zur Erstsprache, die als Fremdsprache anerkannt werden kann, beziehen sich nur auf einige Zuwanderergruppen, auch wenn sie in der Praxis z. T. analog angewendet

[16] Vgl. näher Reuter a. a. O. (Anm. 11).

werden. Angebote wie den muttersprachlichen oder religionskundlichen Unterricht gibt es nur für Kinder ehemaliger Gastarbeiter, obwohl das Leitmotiv der Rückkehrförderung am ehesten bei Flüchtlingskindern berechtigt wäre. Diese unterliegen in einigen Bundesländern nicht der Schulpflicht; und nur die Kinder von Aussiedlern und Kontingentflüchtlingen kommen in den Genuss zusätzlicher integrativer Fördermaßnahmen wie des vertiefenden Sprachunterrichts, der Hausaufgabenbetreuung oder des Nachhilfeunterrichts.

Fraglich ist es, ob und inwieweit eine Differenzierung zwischen den Zuwanderergruppen schulrechtlich zulässig ist. So haben die Kinder nichtdeutscher Unionsbürger das Recht, unter den gleichen Bedingungen wie Landeskinder am allgemein- und berufsbildenden Unterricht teilzunehmen sowie an allen Hochschulen in der EU zu studieren. Das von zahlreichen Länderverfassungen, implizit auch vom Grundgesetz garantierte und in verschiedenen Landesschulgesetzen wiederholte Recht auf (chancengleiche) Bildung gilt für In- wie Ausländer. Innerhalb seiner Mindestgarantien ist eine Differenzierung nach Herkunft, Sprache oder Ethnie mit dem Gleichheitssatz nicht vereinbar.[17]

Bereits 1979 stellte die KMK fest: „Die Gesetze über die Schulpflicht gelten in allen Ländern der Bundesrepublik Deutschland auch für die ausländischen Kinder und Jugendlichen. [...] Die Schulpflicht besteht auch dann, wenn diese Schüler nach dem Recht ihres Heimatlandes nicht oder nicht mehr schulpflichtig sind.“ [18] Doch Regelungsunterschiede gibt es bis heute. Schulpflichtig sind die Kinder „autochthoner Minderheiten“ (Dänen; Sorben; Sinti), die staatsbürgerrecht-

[17] Vgl. Renner, G.: Kinder und Jugendliche und das Ausländerrecht in Deutschland, in: RdJB 1999, S. 15ff.

[18] Vgl. Vertrag zur Gründung der Europäischen Gemeinschaft i. d. F. vom 1.1.1995; Gesetz über Einreise und Aufenthalt von Staatsangehörigen der Mitgliedstaaten der Europäischen Wirtschaftsgemeinschaft vom 31.1.1980, zuletzt geändert am 24.1.1997; Freizügigkeitsverordnung / EG vom 17.7.1997.

lich Deutsche sind. Der Schulpflicht unterliegen die Kinder deutscher Aussiedler, die über einen Einbürgerungsanspruch verfügen, und die Kinder von Ausländern, die im Besitz einer Aufenthaltserlaubnis sind. Hierzu gehören Arbeitsmigranten, Asylberechtigte und heimatlose Ausländer. Hingegen unterliegen die Kinder von Asylbewerbern in sieben Bundesländern (BW; HH; NW; RP; SL; ST; TH) nicht der Schulpflicht.[19] Allerdings haben Asylbewerberkinder in der Regel ein Recht auf Schulbesuch, der z. T. unter dem Vorbehalt der personellen und finanziellen Voraussetzungen steht. Doch auch in den neun Bundesländern, in denen eine *Schulpflicht* besteht, beginnt diese nicht mit dem Beginn des Aufenthaltes, sondern erst dann, wenn das Bundesamt für die Anerkennung ausländischer Flüchtlinge eine Entscheidung über den Aufenthalt für die Dauer der Durchführung des Asylverfahrens getroffen hat. Diese z. T. nicht geringe Zeitlücke in der Schulpflicht wird damit gerechtfertigt, dass bis zur Entscheidung über die Zuweisung ungeklärt sei, ob die Antragsteller im Land verblieben.

Unterschiede bestehen auch bei der Schulpflicht von Flüchtlingskindern. Kinder von Kontingentflüchtlingen, d. h. von im Rahmen humanitärer Aktionen aufgenommenen Ausländern, sind in allen Ländern schulpflichtig. Gleiches gilt für die Kinder von Konventionsflüchtlingen, die unter den Flüchtlingsbegriff der Genfer Konvention fallen und nicht abgeschoben werden dürfen. Die Kinder von Bürgerkriegs- und Kriegsflüchtlingen unterliegen jedoch in drei Ländern (HH, RP, TH) für die Dauer ihres Aufenthaltes nicht der Schulpflicht; nur auf ausdrücklichen Wunsch der Eltern werden sie eingeschult.

Die Verwaltungsvorschriften zur Schulpflicht spiegeln also eine Zwei-Klassen-Gesellschaft in der Zuwandererbevölkerung wider. Migrantengruppenspezifische Einschränkungen der gesetzlichen Schulpflicht sind jedoch weder schulgesetzlich

[19] KMK-Beschluß a. a. O., Ziff. 1.1 (Anm. 9).

noch verfassungsrechtlich zulässig. Die gesetzlichen Schulpflichtbestimmungen der Länder kennen keine Differenzierung nach der Staatsbürgerschaft. Sie knüpfen an Kriterien wie Wohnung, Aufenthalt, Ausbildungsplatz oder Arbeitsstätte an, um im föderativen Staat Lücken oder Überschneidungen in der Verantwortung der Gebietskörperschaften für die Umsetzung und Einhaltung der Schulpflicht zu vermeiden. Selbst (deutsche) Kinder ohne festen Wohnsitz wie Binnenschiffer- und Zirkuskinder oder Kinder von Fahrenden unterliegen der Schulpflicht. Zwar gibt es im Schulrecht Ausnahmen von der Schulpflicht, die sich z. B. aus der Bildungsunfähigkeit eines Kindes oder im Falle von Diplomatenkindern aus dem Völkerrecht ergeben können. Insofern ist es aufschlussreich, dass die Einschränkung der Schulpflicht von Asylbewerbern oder Flüchtlingskindern nicht in den Schulgesetzen, sondern administrativ eingeführt wurden. Eine Regelung zur Einschränkung der Schulpflicht, die nicht auf eine schulgesetzliche Ermächtigung zurückführbar ist, verstößt gegen das Rechtsstaatsprinzip. Gäbe es eine solche Ermächtigung – dies gilt zumindest für das allgemein bildende Schulwesen, wäre sie wegen Verstoßes gegen den Gleichheitssatz verfassungswidrig. Alle Zuwandererkinder sind daher unabhängig vom Aufenthaltsstatus schulpflichtig.[20] Ihnen ist uneingeschränkt Zugang zu allen Grund- und Hauptschulen und nach Maßgabe ihrer Leistungsfähigkeit zu allen weiterführenden Schulen zu gewähren. Beschulungsvorbehalte im Pflichtschulbereich nach der Verfügbarkeit der personellen, räumlichen und sächlichen Ressourcen, wie sie in einigen Verwaltungsvorschriften zur Beschulung ausländischer Zuwandererkinder vorhanden sind, verstoßen gegen nationales und internationales Recht und sind daher rechtswidrig.

[20] Vgl. Neumann, U. / Reuter, L.: Alles was Recht ist: Minderheiten im deutschen Schulwesen, in: Deutsch lernen 1997, 5. 224ff.

Sonderregelungen für Schüler nichtdeutscher Erstsprache

Der Gesetzesvorbehalt, d. h. die Verpflichtung der Landtage, alle „wesentlichen“ Fragen der schulischen Versorgung der Kinder und Jugendlichen, gesetzlich zu regeln, hat in Bezug auf die Zuwandererkinder erst in Ansätzen Beachtung gefunden. Ihnen fehlt jene bildungsbürgerliche Lobby, die in den vergangenen drei Jahrzehnten durch gerichtlichen Druck auf Schulverwaltung und Gesetzgeber zur Klärung des Rechtsstatus der Schüler beigetragen hat. So ist das Zuwandererschulrecht auch am Anfang des 21. Jahrhunderts noch weitgehend Domäne der Verwaltung. Es fehlt ein durch die KMK vermittelter Konsens zwischen den Bundesländern über Regelungsformen und Mindeststandards. Während nur das Schulgesetz für Berlin ausführliche Regelungen über die „Schüler nichtdeutscher Herkunftssprache“ enthält, fehlt anderswo jegliche gesetzliche Regelung. Grundlage sind z.B. im Saarland nur zwei Erlasse über den Unterricht für Ausländer- und Aussiedlerkinder (1977; 1990). In anderen Ländern gibt es zwar eine größere Zahl und Detailliertheit der Bestimmungen; doch fast ausnahmslos befinden sie sich in Verwaltungsvorschriften. Bis heute werden die Maßnahmen für „deutsche“ Aussiedlerkinder und „ausländische“ Zuwandererkinder durchgängig in getrennten Erlassen geregelt, obwohl sie sich in der Sache kaum unterscheiden und vor allem die Realprobleme keine unterschiedliche Regelung rechtfertigen.

Regelungsbereiche

Eine synoptische Darstellung und systematische Analyse der Regelungen zur schulischen Versorgung von Migranten- und Minderheitenkinder liegen bis heute nicht vor.[21] Folgende Regelungsbereiche lassen sich unterscheiden: Grundsätze und

[21] Vgl. jedoch Palt, B. / Reuter, L. / Witte, A.: Schulbildung für Migrantenkinder und Kinder autochthoner Minderheiten in der Bundesrepublik Deutschland: Eine Synopse schulrechtlicher Bestimmungen, in: Beiträge aus dem Fachbereich Pädagogik der Universität der Bundeswehr Hamburg H. 2/1998 (177 S.), zit. „Synopse“.

Ziele der Beschulung von Minderheiten- und Migrantenkindern, allgemeine Bildungs- und Erziehungsziele mit interkulturellen und internationalen Bezügen, Schulpflicht, Partikularbestimmungen zur schulischen (Erst-) Eingliederung und Förderung (Vorbereitungs-, Förder- und Regelklassen), sonstige Fördermaßnahmen, Prüfungs- und Zeugnisregelungen, muttersprachlicher Unterricht, bilinguale Modelle, Erst- und Fremdsprachenregelungen, interkulturelles Lernen, nichtchristlicher (insb. islamischer) Religionsunterricht und schließlich Organisationsbestimmungen z. B. zur Lehreraus- und Lehrerfortbildung, Lehrerzuweisung, Lernmittelversorgung, Elternberatung, deutschen Schulaufsicht und zum Konsulatsunterricht. Einige (Problem-) Bereiche werden nachfolgend dargestellt.

Rechtsanspruch auf Partikularregelungen?

Es ist rechtlich unklar, ob Zuwandererkinder über das gleiche Recht aller Kinder und Jugendlichen auf Schulbildung hinaus Anspruch auf Fördermaßnahmen haben. Die Prinzipien des gemeinsamen Unterrichts und der Befristung von Vorbereitungs- oder Regelklassen sowie der Sonderunterricht in Deutsch als Zweit- oder Zielsprache, die z. T. schulgesetzlich verankert sind (BE, HE), sind zwingendes Recht. Obwohl als Verpflichtungen von Verwaltung und Schulen formuliert, stellen sie sowohl institutionelle Garantien als auch individuelle Ansprüche dar. Im Übrigen sind alle Bestimmungen, die Zuwandererkinder betreffen, also die Regelungen über Vorbereitungsklassen mit Unterricht im Fach „Deutsch als Zielsprache“, Förderunterricht und sonstige Fördermaßnahmen, über Prüfungen und Zeugnisse, zum muttersprachlichen, landes- und religionskundlichen Unterricht, die Fremdsprachenangebote einschließlich der Anerkennung der Erstsprache als Fremdsprache bis zu den Lehrerstellen- und Sondermittelzuweisungen behördeninterne Verwaltungsvorschriften. Als solche sind sie nicht einklagbare Rechtsansprüche. Etwas anderes gilt allerdings, aber eben auch nur dann, wenn einzelne Schüler (-gruppen) willkürlich von diesen Maßnahmen ausgeschlossen werden. Inhalt und Reichweite einer integrativen Schulpolitik bleiben also auch innerstaatlich weitgehend Fragen gesellschaftlicher Kontroverse und politischer Opportunität. Während die kontroversen Standpunkte in der Frage der Zulassung (Stichwort: Einwanderungsgesetz mit Quoten und Kriterien) sich nur langsam annähern, besteht zumindest über die Mindeststandards einer integrativen Schulpolitik weitgehend Konsens.

Rechtsstaatsdefizite bei der Ausgestaltung des Schulrechts für Zuwandererkinder dürfen nicht zu deren Lasten gehen. Individuell einklagbare Rechtsansprüche sind zumindest auf ein Minimum an Fördermaßnahmen gerichtet. Sie ergeben sich aus dem Recht auf schulische Bildung, das die meisten Schulgesetze enthalten; dies sei am Beispiel des Hamburger Schulgesetzes kurz dargelegt. Zur Verwirklichung des „Rechts auf schulische Bildung", das gemäß § 1 „jedem jungen Menschen" ungeachtet seiner „Abstammung, Rasse, Sprache oder Heimat" garantiert wird und das individuelle Ansprüche enthält, „wenn sie nach Voraussetzungen und Inhalt in diesem Gesetz oder aufgrund dieses Gesetzes bestimmt sind", werden in § 3 „Grundsätze" formuliert. Zu diesen gehören neben den Prinzipien der Integration (Abs. 1) und Koedukation (Abs. 2) der „Ausgleich von Benachteiligungen" und die „Verwirklichung von Chancengerechtigkeit" (Abs. 3). „Kinder und Jugendliche, deren Erstsprache nicht Deutsch ist, sind unter Achtung ihrer ethnischen und kulturellen Identität so zu fördern, dass ihre Zweisprachigkeit sich entwickeln kann und ihnen eine aktive Teilnahme am Unterrichtsgeschehen und am Schulleben ermöglicht wird." (§ 3 Abs. 3 S. 3 SchulG HH) Daraus ergeben sich „Rechtsreflexe", die individuelle Ansprüche im Sinne von § 1 SchulG zumindest dem Grunde nach konstituieren. Dabei ist an Ansprüche auf solche Fördermaßnahmen zu denken, die geeignet sein müssen, die Zweisprachigkeit zu fördern, die notwendigen Kenntnisse in der deutschen Sprache in Wort und Schrift zu vermitteln und die Defizite in den fachlichen Kenntnissen zumindest soweit zu kompensieren, dass Chancen für eine aktive Teilnahme am Unterrichtsgeschehen und Schulleben bestehen. Gibt es keine (Mindest-) Fördermaßnahmen, so besteht ein einklagbarer Anspruch darauf, dass sie – ggf. klassen-, jahrgangs- oder schulübergreifend – eingeführt werden. Indes dürften aus der bloßen Verpflichtung zur „Achtung ihrer ethnischen und kulturellen Identität" Ansprüche auf muttersprachlich-kulturelle Unterrichtsangebote nicht abzuleiten sein. Ob und inwieweit die Gebietskörperschaften die kulturellen Bedürfnisse fördern, ist daher eine Frage der politischen Opportunität bzw. der innergesellschaftlichen Aushandlungsprozesse.

Probleme, Regelungsbedarf und Entwicklungstendenzen

Trotz des angedeuteten Konsenses in zahlreichen Fragen der Schulpolitik für die Kinder nichtdeutscher Erstsprache ist noch vieles im Fluss. Unklarheiten, vor allem aber die (integrations-) pädagogisch unbefriedigende Ressourcenzuweisung und die unzureichenden Regelungen sind Folge der bis heute bestehenden Widersprüchlichkeit der Ziele „schulischer Integration" und „Zweisprachigkeitsförderung" auf der einen Seite und der „Rückkehrförderung" auf der anderen; dies ist Ausdruck von Halbherzigkeit, Inkonsequenz und Desinteresse der politisch-adminisrativen Akteure.

Muttersprachlicher Unterricht

Wie die EU-Richtlinien (1977) sieht auch der KMK-Beschluss (1979) einen Ergänzungsunterricht für Migrantenkinder in der Muttersprache vor. Der muttersprachliche Unterricht wird vor- oder nachmittags als Bestandteil des regulären Unterrichts in den öffentlichen Schulen oder als Ergänzungsunterricht durch die diplomatischen Vertretungen der ehemaligen Anwerbeländer (Griechenland, Italien, Jugoslawien, Marokko, Portugal, Spanien, Türkei) durchgeführt. Die Verantwortung für die Durchführung und Beaufsichtigung des muttersprachlichen (Ergänzungs-) Unterrichts kann daher bei den deutschen Schulbehörden oder bei den ausländischen Konsulaten liegen. Die Teilnahme am muttersprachlichen Unterricht ist in der Regel freiwillig, z. T. ist die Teilnahme zu beantragen (BY, NI, NW). In Hessen sind ausländische Schüler aus sieben Staaten zur Teilnahme verpflichtet; eine Abmeldung durch schriftliche Erklärung der Eltern zum Schuljahresende ist inzwischen möglich.[22] In Bremen ist der Unterricht für türkische Schüler verpflichtend, es sei denn, dass „deren Eltern sich einer anderen ethnischen Gruppe zugehörig fühlen“.[23]

Der muttersprachliche Unterricht umfasst in der Regel Unterricht der Herkunftssprache (Schreiben, Lesen, Sprachentwicklung), Unterricht in Landeskunde (Geographie, Geschichte, Politik) und in einigen Bundesländern islamische Religionskunde (z. B. HE, NI, NW). Muttersprachlicher Unterricht wird in der Regel in Grundschulen und Schulen des Sekundarbereichs I, vor allem in Hauptschulen, angeboten. Der muttersprachliche Unterricht wird bis heute durchweg von Lehrern aus den Herkunftsländern auf der Grundlage der dortigen schulrechtlichen Bestimmungen erteilt. Die Lehrkräfte sollen über hinreichende Deutschkenntnisse verfügen und können auf der Basis von Zeitverträgen Lehrer im Dienst des betreffenden Bundeslandes oder Konsulatslehrer sein. Die Schulträger stellen die Schulräume unentgeltlich zur Verfügung; die diplomatischen Vertretungen übernehmen die Finanzierung der Lehrer und Unterrichtsmaterialien und erhal-

[22] Vgl. (HE) Verordnung über die Teilnahme ausländischer Schüler vom 10.5.1983 und (HE) Erlass zum Unterricht für ausländische Schüler vom 8.10.1992, abgedruckt in: Synopse a. a. O., S. 99 bzw. 100.

[23] Vgl. (HB) Rahmenrichtlinien für den Unterricht von Schülern nichtdeutscher Muttersprache, Entwurf vom 20.12.1994, abgedruckt in: Synopse a. a. O., S. 98.

ten länderweise unterschiedlich Zuschüsse von den deutschen Schulverwaltungen. Wenn der Unterricht in der Verantwortung der deutschen Schulverwaltungen durchgeführt wird, erfolgt die Beschäftigung der ausländischen Lehrkräfte in der Regel über Anstellungs- oder Honorarverträge. Muttersprachlichen Unterricht gibt es in allen alten Bundesländern, vor allem in jenen mit einem hohen Zuwandereranteil (BW, BY, HE, NI), in den neuen Bundesländern außer Berlin nur vereinzelt (BB, SN) oder gar nicht (MV, ST, TH).

Trotz der Veränderungen in der Zusammensetzung der Schülerschaft mit nichtdeutscher Erstsprache steht der muttersprachliche Unterricht bis heute in der Tradition der Beschulung der Gastarbeiterkinder: Der Unterricht wird fast ausschließlich solchen Schülern angeboten, die oder deren (Groß-) Eltern aus den früheren Anwerbeländern Griechenland, Italien, Jugoslawien (Kroatien, BR Jugoslawien, z.T. auch Bosnien, Slowenien, Makedonien), Portugal, Spanien, Türkei und Tunesien stammen; er wird weitgehend von den nationalpolitischen Vorstellungen der Herkunftsländer bestimmt; selbst neuere deutsche Verwaltungsvorschriften halten an der Doppelzielsetzung von Integration und Rückkehroption fest.[24] Damit ist dieses Unterrichtsangebot für den größten Teil der Adressaten, vor allem für die Angehörigen der dritten Generation, problematisch geworden. Die Ziele, welche die deutschen wie die ausländischen Behörden mit dem Unterricht verfolgen, korrespondieren weder mit der sozio-kulturellen Lage noch mit den Lebenszielen dieser Schüler. Konsequent wäre es daher, den muttersprachlichen Unterricht inhaltlich, organisatorisch und finanziell völlig aus dem öffentlichen Schulwesen herauszulösen und in die ausschließliche Verantwortung der diplomatischen Vertretungen zu legen. In diesem Rahmen hätten integrationswidersprüchliche Ziele wie die „Bindung an die Herkunftskultur“ oder „Rück-

[24] Unterricht für ausländische Schüler, Verwaltungsvorschrift (BW) vom 29.3.1993 i.d.F. 7.7.1994, abgedruckt in: Synopse a. a. O., S. 95.

kehrermöglichung“ ihren legitimen Platz. Denn bei einer vollständigen Trennung vom öffentlichen Schulwesen wäre die Inanspruchnahme dieser Angebote eine ausschließlich private Lebensentscheidung. Eine Alternative zu dieser Herauslösung wäre es, den Unterricht zu einem ordentlichen Wahlfach in den Herkunftssprachen zu machen. Dies hätte Konsequenzen für die Lehrpläne und Unterrichtsmaterialien, für die Aus- und Fortbildung der (in- oder ausländischen) Lehrkräfte, ihre Bezahlung und Integration in die (deutsche) Lehrerschaft. Erst mit derart veränderten Rahmenbedingungen wären die Voraussetzungen dafür gegeben, zielgerichtet und qualifiziert die „natürliche Zweisprachigkeit“ zu fördern und „bilinguale Angebote“ über die etablierten Fremdsprachen hinaus zu ermöglichen, wie es einige Schulgesetze (BE, HE) vorsehen. Der mögliche Nutzen für den deutschen Arbeitsmarkt ist selbstevident.

Ein systematisches Angebot muttersprachlichen Unterrichts für Asyl- und Kriegsflüchtlingskinder ist nicht vorhanden. Ein Teil von ihnen kann an dem bestehenden Angebot partizipieren bzw. erhält gesonderte Angebote in den Asyl- bzw. Flüchtlingsheimen. Neben den Angeboten des muttersprachlichen Ergänzungsunterrichts durch die Konsulate einzelner Nichtanwerbeländer, die in der Regel nicht bezuschusst werden, gibt es in verschiedenen Bundesländern „Ergänzungsunterricht“ in weiteren Sprachen. Im Rahmen dieses Angebots an muttersprachlichem Unterricht werden, wenn in der Regel auch nur an wenigen Schulen, z.B. in Hamburg folgende Sprachen unterrichtet: Albanisch, Arabisch, Aramäisch (Irak, Iran), Bosnisch, Dari (Afganistan), Farsi (Iran), Kurdisch (Türkei, Iran, Irak), Pashto (Afganistan), Polnisch, Romanes (Roma), Russisch u. a.[25] In Niedersachsen, wo der herkömmliche muttersprachliche Unterricht der staatlichen Schulaufsicht unterliegt, kann ein entsprechendes Unterrichtsangebot

[25] Vgl. Muttersprachlicher Unterricht in Hamburg, vgl. Behörde für Schule, Jugend und Berufsbildung – V121, September 1998.

auf Antrag der Eltern unter bestimmten Voraussetzungen auch für weitere Herkunftsprachen eingerichtet werden.[26]

Schulaufsicht

Grundsätzlich unterliegen die Maßnahmen zur Integration und Förderung der Schüler nichtdeutscher Erstsprache der deutschen Schulaufsicht. In sechs Ländern (BW, BE, HB, HH, SL, SH) findet der muttersprachliche Unterricht jedoch unter Aufsicht der ausländischen Konsulate, in den übrigen (BY, HE, NI, NW, RP, SN) unter deutscher Schulaufsicht statt. In Sachsen sind zwar beide Varianten möglich, doch wird nur die zweite praktiziert. In drei Ländern (HH, NW, RP) dürfen ausländische Botschafts- oder Konsulatsbeamte bei den im Landesdienst stehenden Lehrkräften ihrer Nation bzw. bei Lehrern, die aus dem Dienst ihres Staates beurlaubt sind, Unterrichtsbesuche nur in Begleitung eines deutschen Schulaufsichtsbeamten durchführen; Weisungsrechte stehen ihnen nicht zu. In einem Bundesland (BB), in dem muttersprachlicher Unterricht in Landeszuständigkeit vorgesehen ist, aber nicht angeboten wird, kann der muttersprachliche Ergänzungsunterricht freien Trägern (den Regionalen Arbeitsstellen Ausländerfragen [RAAI]) übertragen werden. Die Aufsichtsbefugnisse über die durchgeführten Maßnahmen ergeben sich hier aus der Verpflichtung zur Überprüfung der Ausgaben.

Beim muttersprachlichen Unterricht handelt es sich um ein auf Dauer gestelltes Unterrichtsangebot, das es seit über 30 Jahren gibt. Damit stellt sich die Frage nach der Zulässigkeit der Einschränkung der deutschen Schulaufsicht. Nach Art. 7 Abs. 1 GG steht die Schule unter der Aufsicht des Staates; diese wird nach ständiger Rechtsprechung als „Inbegriff der staatlichen Herrschaftsrechte über die Schule, nämlich die

[26] Vgl. Unterricht für Schüler ausländischer Herkunft, (NI) Erlass vom 3.2.1993, abgedruckt in: Synopse a. a. O., S. 101 f.

Gesamtheit der staatlichen Befugnisse zur Organisation, Planung, Leitung und Beaufsichtigung des Schulwesens“ definiert.[27] Ob die etatistische Tradition der „Schulbildung als öffentlicher Aufgabe“ tatsächlich dazu zwingt, den Begriff der Schulaufsicht als umfassendes staatliches Bestimmungsrecht auszugestalten, oder ob es zulässig ist, sie als Aufgabe der rechtlichen Steuerung und administrativen Kontrolle durch Evaluation neu zu definieren, ist z. B. für die „Schulautonomie“-Debatte von erheblicher Bedeutung. Für die Beantwortung der Frage nach der rechtmäßigen Aufsicht über den muttersprachlichen Unterricht bieten sich Parallelen zum Privatschulrecht wie zum Religionsunterricht an. Soweit der von den Konsulaten angebotene muttersprachliche Unterricht in sachlicher, räumlicher und zeitlicher Hinsicht mit den öffentlichen Regelschulen verknüpft wird, ließen sich die privatschulrechtlichen Regelungen über die Beaufsichtigung von Ersatzschulen analog herzuziehen. Zum selben Ergebnis führt der Vergleich mit dem Religionsunterricht in solchen Bundesländern (s. u.), in denen dieser abweichend von Art. 7 Abs. 3 GG in ausschließlicher Verantwortung der Religionsgemeinschaften in öffentlichen Schulräumen und in zeitlicher Abstimmung mit dem Stundenplan koordiniert wird (Art. 141 GG). Auch in diesem Fall bleibt die Schulverwaltung verpflichtet, in geeigneter Weise die Beachtung der Gesetze, insbesondere des schulgesetzlichen Erziehungs- und Bildungsauftrags, sicherzustellen. Der vollständige Verzicht auf eine staatliche Beaufsichtigung des von den diplomatischen Vertretungen durchgeführten muttersprachlichen und landeskundlichen Unterrichts verstößt gegen Art. 7 Abs. 1 GG. Im Falle eines vom staatlichen Schulwesen getrennten Ergänzungsunterrichts gelten hingegen ausschließlich die privatschulrechtlichen Bestimmungen über Ergänzungsschulen.

[27] Vgl. BVerwGE 6, S. 104 und 23, S. 352.

Privatschulen

Schulen mit einer Fremdsprache als Unterrichtssprache gibt es in Deutschland in staatlicher wie in privater Trägerschaft.[28] Die schulische Versorgung der Kinder autochthoner Minderheitengruppen erfolgt aus historischen Gründen teils durch staatliche, teils durch private Schulen. Bei den Schulen im sorbischen Siedlungsgebiet (BB, SN), in denen die Schüler das Recht haben, die sorbische Sprache zu erlernen und in bestimmten Fächern und Jahrgangsstufen in sorbischer Sprache unterrichtet werden, handelt es sich um öffentliche Schulen. Die Schulen der dänischen Minderheit sind Schulen in freier Trägerschaft. Die schulische Versorgung der Kinder der (allochthonen) Zuwanderungsminderheiten erfolgt in allen Bundesländern grundsätzlich in öffentlichen Schulen. Neben einigen binationalen und nationalen Schulen (zumeist Gymnasien)[29], die in der Regel anerkannte Ersatzschulen sind, gibt es bis heute insbesondere für griechische Zuwandererkinder private Volksschulen und Lyzeen in der Trägerschaft des griechischen Staates, die teils anerkannte Ersatzschulen nach dem Privatschulrecht des betreffenden Bundeslandes, teils auch nur Ergänzungsschulen sind. Ihre Problematik besteht darin, dass sie die soziale Integration ihrer Schülerschaft behindern und dass die Abschlüsse dieser Lyzeen nicht als Gymnasialabschlüsse in Deutschland anerkannt sind. Private Grundschulen für Zuwanderungsminderheiten gibt es nur in Bayern.[30]

[28] Vgl. KMK, Schulen in der Bundesrepublik Deutschland mit einer Fremdsprache als Unterrichtssprache, Bonn 1987.

[29] Vgl. deutsch-amerikanische und deutsch-französische Schulen in BE, BW, SL; japanische, schwedische, ungarische, französische, lettische und litauische Schulen in BY, HE, HH u. NW.

[30] In: Trägerschaft der Griechischen Republik; vgl. KMK 1987 (Anm. 29). Die privaten islamischen Grundschulen (BY, BE) sind konfessionelle Schulen.

Religionsunterricht

Nach Art. 7 Abs. 3 GG ist der Religionsunterricht zugleich institutionelle Garantie wie subjektives Recht der Eltern und Kinder. Als „ordentliches Lehrfach“ ist er Pflichtfach, das die Schulverwaltung auch bei geringer Schülerzahl beispielsweise klassen- oder jahrgangsübergreifend durchzuführen hat. In diesem Sinne sehen zwei Schulgesetze (BW, SL) einen Unterricht für Schüler religiöser Minderheiten vor, wenn ihre Mindestzahl acht Schüler in der Schule (BW) bzw. fünf Schüler in der Klassenstufe (SL) beträgt; in beiden Ländern ist diese Bestimmung jedoch nicht umgesetzt. Bei den Beratungen im Parlamentarischen Rat zu Art 7 Abs. 3 GG ging es um eine Garantie von Religionsunterricht in Übereinstimmung mit den Grundsätzen der christlichen (katholischen und evangelischen) Kirchen. Die Verfassungsgarantie erfasst jedoch angesichts der heutigen religiösen Pluralität in Deutschland grundsätzlich auch einen christlich-orthodoxen, jüdischen oder muslimischen Religionsunterricht.[31] Der Status als ordentliches Schulfach bedeutet, dass Religionsunterricht als selbständiges Fach mit Versetzungsrelevanz in deutscher Sprache im Rahmen des regulären Unterrichts unter staatlicher Schulaufsicht durchzuführen ist. Teilnahmekriterium ist in der Regel die Zugehörigkeit zu der betreffenden Religionsgemeinschaft, nicht aber die Nationalität oder Zugehörigkeit zu einer ethnischen Gruppe. Der Unterricht ist durch Beauftragte der Religionsgemeinschaft oder von ihr bevollmächtigte staatliche Lehrer auf der Grundlage staatlicher Lehrpläne durchzuführen, die mit den Grundsätzen der Religionsgemeinschaft, dem Grundgesetz und dem Schulrecht im Einklang stehen müssen. Bei Zugrundelegung dieser Kriterien gibt es in keinem Bundesland einen muslimischen Religionsunterricht im Sinne von Art. 7 (3) GG. Zwar bezeichnet ein Erlass des

[31] Vgl. Avenarius, H. / Heckel, H.: Schulrechtskunde. Neuwied 2000, S. 98; vgl. Füssel, H.-P.: Islamischer Religionsunterricht an deutschen Schulen, in: RdJB 1985, S. 74ff.

Bayerischen Kultusministeriums den Religionsunterricht für türkische Schüler muslimischen Glaubens als „ordentliches Lehrfach“, tatsächlich handelt es sich jedoch in Bayern wie in den übrigen Ländern (BW, HB, HH, HE, NI, NW, RP) um einen religionskundlichen Unterricht, welcher mit einer Ausnahme (NW) nur türkischen, nicht aber allen muslimischen Schülern offensteht und als Teil des muttersprachlichen Unterrichts in türkischer Sprache durchgeführt wird. In zwei Ländern (BE, HB; strittig: BB) ist die verfassungsrechtliche Ausgangslage aufgrund von Art. 141 GG eine andere. Der Religionsunterricht ist dort alleinige Veranstaltung der Religionsgemeinschaften an der staatlichen Schule. Ein 1998 ergangenes Urteil des Oberverwaltungsgerichts Berlin räumt erstmals einer muslimischen Gemeinschaft das Recht ein, islamischen Religionsunterricht an staatlichen Berliner Schulen durchzuführen. Im Rechtsstreit ging es um die Frage, ob der Verein die Merkmale einer Religionsgemeinschaft erfüllte. Nach der vom Bundesverwaltungsgericht bestätigten Rechtsauslegung reicht es aus, dass der Verein und seine Mitglieder „sich zur Weltreligion Islam mit seinen allgemein verbindlichen Quellen des Korans und der Sunna bekennen“.[32] Es könne nicht verlangt werden, dass sich der Verein satzungsmäßig auf eine bestimmte Glaubensrichtung innerhalb des Islams festlege; dies widerspreche der islamischen Grundanschauung, der festen organisatorischen Abgrenzungen (Schiiten, Sunniten), die bei den christlichen Glaubensgemeinschaften fremd seien. Überdies verletze diese Forderung das Gebot der religiösen Neutralität des Staates. Schließlich habe der Verein eine hinreichende Organisationsstruktur, die es der Schulverwaltung ermögliche, die schulischen Belange gegenüber dem Verein durchzusetzen. Die Entscheidung, die nicht wegen ihrer Einschränkung der hergespannten Anforderungen an den Begriff

[32] Vgl. OVG Berlin in: Deutsches Verwaltungsblatt (DVBl.) 1999, S 554 ff. u. VerwG in: Schulrecht 2000, S. 86; näher R. Tillmanns, Islamischer Religionsunterricht in Berlin, in: RdJB 1999, S. 471 ff.

„Religion“ und an den Organisationsgrad der „Religionsgemeinschaft“, sondern wegen bestehender personeller Verflechtungen der Föderation mit der islamistisch-extremistischen Organisation „Milli Görüs“ auch von türkischen Organisationen kritisiert wird, legt die Problematik einer verfassungsrechtlichen Regelung offen, die von Art. 7 GG abweichend eine Abstimmung der Lehrpläne mit der Schulverwaltung und die übliche staatliche Schulaufsicht nicht vorsieht. Allerdings muss auch in Berlin sichergestellt sein, „dass der Unterricht gemäß den für den allgemeinen Unterricht geltenden Bestimmungen durchgeführt wird“ (§ 23 Abs. 1, S. 3 Schulgesetz BE). Es wäre wünschenswert, wenn die Kultusminister oder die KMK von sich aus auf die islamischen Verbände zugingen, um mit ihnen gemeinsam die organisatorischen Voraussetzungen für einen islamischen Religionsunterricht im Sinne von Art. 7 Abs. 3 GG zu schaffen.

Sondermaßnahmen als Pflichten oder Optionen

Förderung der Deutschkenntnisse und soziale Integration, Förderung der Mehrsprachigkeit, Offenhalten der Rückkehrmöglichkeit und Sicherung der sprachlich-kulturellen Identität sind bis heute die in den Verwaltungsvorschriften der Länder enthaltenen Leitlinien der schulischen Maßnahmen für Zuwandererkinder. Alle integrativen Maßnahmen, die auf Förderung der Deutschkenntnisse, Integration in die Regelklassen und Ausgleich von Lerndefiziten gerichtet sind, sind in der Regel verpflichtend. Wie entsprechende Fördermaßnahmen für autochthone Schüler legitimieren sie sich aus der Sozialbindung des Schulwesens und unterliegen der Schulpflicht. Anders ist es mit Maßnahmen zum „Offenhalten der Rückkehrmöglichkeit“ und zur „Sicherung der sprachlich-kulturellen Identität“. Letzteres ist angesichts der Vielzahl der Zuwanderergruppen und der Differenzierung der kulturellen Milieus innerhalb derselben Ethnie ohnehin faktisch nicht zu verwirklichen. Eine Teilnahmeverpflichtung wäre überdies unzulässig, da die Zuweisung einer Person zu einer Minderheitengruppe gegen ihren Willen die in der europäischen Minderheitencharta niedergelegten Rechtsprinzipien verletzte und innerstaatlich gegen Art. 2 Abs.1 GG verstieße. Jede Person entscheidet für sich allein, ob sie sich einer Minderheitengruppe zugehörig fühlt oder nicht. Dies bedeutet, dass im Gegensatz zum (obligatorischen Förder-) Unterricht in Deutsch als Zielsprache der *muttersprachliche Unterricht* oder die „Anerkennung der Muttersprache als Fremdsprache" nur Angebote sein dürfen. Dem entspricht § 8a Abs. 3 Hessisches Schulgesetz, wonach zur „Förderung der natürlichen Mehrsprachigkeit" zunächst ein integrationsorientierter Unterricht in der Herkunftssprache vorgesehen ist, der in einer zweiten Phase in ein Wahlpflichtangebot übergehen soll. Die Verpflichtung der „ausländischen Schüler" aus den ehemaligen Anwerbeländern zur Teilnahme am muttersprachlichen Unterricht wird von der allgemeinen Schulpflicht nicht gedeckt und verletzt das allgemeine Persönlichkeitsrecht nach Art. 2 GG.

Probleme aus dem Schulalltag

Ein Problemkreis ergibt sich aus der religiös motivierten Bekleidung muslimischer Schülerinnen in der Schule. Dabei geht es um die Fragen, ob es schulgesetzlich und verfassungsrechtlich zulässig ist, dass muslimische Schülerinnen im Unterricht ein Kopftuch oder einen Schleier tragen und ob sie einen Anspruch haben, vom Sport- und Schwimmunterricht befreit zu werden. Verhaltensweisen, die aus Glaubensregeln abgeleitet werden, fallen grundsätzlich in den Schutzbereich der Freiheit der Religionsausübung. Der Bildungs- und Erziehungsauftrag der Schule und die Religionsfreiheit sind gegeneinander abzuwägen. Der Stellenwert des Schwimmunterrichts dürfte für die Verwirklichung des Bildungs- und Erziehungsauftrags von eher untergeordneter Bedeutung sein, ein Anspruch auf Befreiung also dann in Frage kommen, wenn die Inanspruchnahme bestimmter Bekleidungsregeln nachweislich auf ein bestimmtes religiöses Bekenntnis gestützt wird. Für den Sportunterricht wird in ähnlicher Weise argumentiert, wenn auch sein Stellenwert im Rahmen der Gesundheits- und Sozialerziehung höher zu bemessen ist. Überdies bieten sich hier eher Möglichkeiten des Ausgleichs zwischen den Rechtsprinzipien, da eine für angemessen gehaltene Kleidung getragen werden kann und im Übrigen organisatorische Möglichkeiten bis hin zum geschlechtergetrennten Sportunterricht bestehen. Erst wenn auch dadurch der Konflikt nicht gelöst werden kann, kommt eine Befreiung vom Sportunterricht in Betracht.[33] Schwieriger ist die Beurteilung der vollständigen Verschleierung einer Schülerin, welche als fundamentalistische Auffassung des islamischen Glaubens gilt und sich gegen das integrative Prinzip einer pluralistischen Gesellschaft stellt, das dem Bildungs- und Erziehungsauftrag aller Landesschulgesetze zugrunde liegt. Auch wenn die Rechte der Mitschüler oder Lehrer in der Regel nicht tangiert sein werden, dürften die Ziele des Bildungs- und Erziehungsauftrags mit Blick auf die betreffende Schülerin beeinträchtigt sein[34]. Wenn nach den konkreten Umständen erhebliche Beeinträchtigungen des integrativen, persönlichkeitsbildenden Prozesses anzunehmen sind, können Ordnungsmaßnahmen angemessen sein. Dabei sind nicht nur die Verhältnismäßigkeit der Mittel, sondern die Gesamtumstände (Wirkung des störenden Verhaltens auf die Schule, ihre Vermittlungs- und Sozialisationsprozesse; Durchsetzbarkeit und Wirkung der Maßnahme im Wiederholungsfall etc.) zu beachten.[35]

Ein weiterer Problembereich ist die Nichtteilnahme von Zuwandererkindern an Ausflügen und Klassenreisen. Diese sind

[33] Vgl. OVG NW, Urteil vom 12.7.1991, abgedruckt in: Schul- und Prüfungsrechtliche Entscheidungen neue Folge (SPE n.F.) 882 Nr. 5.

[34] Vgl. Richter, I.: Verfassungsfragen multikultureller Gesellschaften, in: Festschrift Mahrenholz, Baden-Baden 1994, S. 637ff.

[35] Vgl. Mahrenholz, E. G.: Darf die Schulverwaltung einer Schülerin das Tragen eines Schleiers in der Schule verbieten? in: RdJB 1998, S. 287ff.

in der Regel schulische Veranstaltungen, d. h. fallen unter die Schulpflicht. Soweit eine Nichtteilnahme nachweislich religiös motiviert wird, sollte wie im Falle des Sportunterrichts, wenn vertretbare organisatorische Konfliktregelungen nicht möglich sind, die Schülerin von der Teilnahmepflicht befreit und zur Unterrichtsteilnahme in einer Parallelklasse verpflichtet werden. Die Verlängerung der Sommerferien zum Aufenthalt im Herkunftsland der (Groß-) Eltern muss von der Schulaufsicht genehmigt werden; anderenfalls liegt eine Verletzung der Schulpflicht vor. Um eine Schulpflichtverletzung handelt es sich ebenfalls, wenn ältere Geschwister, meist Mädchen, wegen der Betreuung jüngerer Geschwister nicht die Schule besuchen. Gespräche mit den Eltern und pädagogische Maßnahmen sind vorrangig geboten. Die Einschaltung der Schulaufsichtsbehörde oder des Jugendamtes kommt erst in schwerwiegenden Fällen lang anhaltender oder häufiger Absenzen in Betracht. Komplizierter sind die pädagogischen Probleme, die daraus resultieren, dass die erforderlichen Ressourcen für Förderangebote wie Vorbereitungsklassen, Deutschkurse und Förderunterricht nicht oder nicht ausreichend vorhanden sind. Dies betrifft vor allem Schulen mit geringen Zuwandererkinderzahlen. Zu den praktizierten Ansätzen gehören die Vorbereitungsklassen oder -kurse an Schwerpunktschulen, jahrgangsübergreifende Maßnahmen, die Kooperation zwischen mehreren Schulen, die Elternmitarbeit und die Initiierung von Selbsthilfegruppen etwa zur Hausaufgabenbetreuung.

Innovation durch Migration

Die multiethnische Zusammensetzung der Schulklassen beeinflusst die sozio-kulturellen Rahmenbedingungen des Unterrichts; bestimmte Stoffe und Fächer sind anders aufzubereiten und zu unterrichten als in einer sprachlich-kulturell homogenen Schule. Die neueren Lehrpläne der sozial- und geisteswissenschaftlichen Fächer haben auf diese Veränderungen durch spezifische Lernziele und Themenvorschläge bereits reagiert. Die meisten Schulgesetze enthalten in den Erziehungs- und Bildungszielkatalogen auch interkulturelle Bezüge. Einige Schulgesetze (z. B. HH, MV) haben neben Fächern und Lernbereichen „Aufgabengebiete“ als Querschnittbereiche, die in mehreren Fächern zu verwirklichen sind, eingeführt, zu denen auch die interkulturelle Bildung gehört. Erste Lehrpläne und Handreichungen liegen hierzu inzwischen vor; die KMK hat Empfehlungen „Interkulturelle Bildung und Erziehung in der Schule“ (1996) und “Eine Welt / Dritte Welt in Unterricht und Schule“ (1997) verabschiedet.

Die Einführung des frühbeginnenden Fremdsprachenunterrichts ab Klasse drei der Grundschule ist keine direkte Folge der Sprachenpluralisierung im Klassenzimmer, sondern paralleler internationaler Entwicklungen. Doch steht sie im Zusammenhang mit der Infragestellung des „monolingualen Habitus“ und des Verzichts auf das Kriterium der Staatsbürgerschaft bei der Zulassung zu Partikularangeboten im Schulwesen. Die Migrationssituation ist differenzierter geworden; es geht um die schulpolitische und pädagogische Bewältigung nicht mehr nur der Zuwanderung selbst, sondern ihrer unterschiedlichen Folgen wie Einbürgerung, Binationalität etc. Waren die verschiedenen Vorkehrungen wie muttersprachlicher Unterricht, Feststellungsprüfungen und Fremdsprachenanerkennung kompensatorisch begründet oder durch die Rückkehroption legitimiert, sind seit 1990 Veränderungen zu beobachten. Dies gilt für die Pluralisierung des Fremdsprachenangebots, zu dem auch die „mitgebrachten Sprachen“ gehören. Einige Bundesländer (z. B. HH, SN) orientieren das muttersprachliche Unterrichtsangebot nicht (allein) an den Sprachen der ehemaligen Anwerbeländer, sondern an der sprachlichen Zusammensetzung der Schülerschaft; in anderen ist die Zulassung von Kindern mit deutschen Pässen zum „muttersprachlichen Unterricht“ zu beobachten; aus dem muttersprachlichen Unterricht erwächst mehr und mehr ein Unterricht der (nichtdeutschen) Erstsprache als Wahlpflichtfach.[36]

Die Zuwanderung mit ihren schulischen Folgewirkungen ist auf das Engste mit der europäischen Integration innerhalb und außerhalb der gegenwärtigen Grenzen der EU verbunden. 82% der Zuwanderer nach Deutschland stammen aus anderen europäischen Ländern (54% ohne Türkei), 10% aus Asien, 4% aus Afrika und 2,6% aus Nord- und Südamerika (vgl. Tab. 3–4). Der Zusammenhang von Zuwanderung und Europäisierung findet in vielen schulrechtlichen und curricularen Dokumenten Niederschlag. Zur Verwirklichung der „europäischen Dimension" gemäß Art. 1 49 EG-Vertrag (Spracherwerb, Mobilität, Erfahrungsaustausch, Kommunikation) fordert die KMK (1990) die Auseinandersetzung mit der geographischen, sozio-politischen, historischen und sprachlichen Pluralität Europas. Die Länder haben diese Anstöße durch Entscheidungen zum frühen Fremdsprachunterricht, zur Pluralisierung des Fremdsprachenangebots, zum Bildungs- und Erziehungsauftrag der Schule, zum Aufgabengebiet „Europaerziehung" und zur Revision der Lehrpläne aufgegriffen. Die neueren Lehrpläne enthalten europäisch-interkulturelle Bezüge in Gestalt der Begegnung mit anderen Kulturen, des Zusammenleben-Lernens in einer europäischen multikulturellen Gesellschaft, der Friedenserziehung, der Sprach- und Kommunikationserziehung und der Förderung von Migranten.[37]

Thesen

– Die Regelungen der Länderschulgesetze zur schulischen Versorgung der Zuwandererkinder entsprechen weit-

[36] Vgl. Neumann / Reuter a. a. O., S. 237–242 (Anm. 20); vgl. Gogolin, I. / Neumann, U. / Reuter, L.: Schulbildung für Minderheiten: Eine Bestandsaufnahme, in: Zeitschrift für Pädagogik (ZfPäd) 1998, S. 663 ff. (670–672).

[37] Vgl. Gogolin / Neumann / Reuter a. a. O. S. 672–675.

gehend nicht den zum Gesetzesvorbehalt entwickelten rechtsstaatlichen Anforderungen.

- Die KMK-Vereinbarung über die Beschulung von „Ausländerkindern“ von 1979 ist veraltet; ihre Doppelzielsetzung, „ausländischen schulpflichtigen Kindern und Jugendlichen eine erfolgreiche Mitarbeit in den deutschen Schulen zu ermöglichen und ihnen die Wiedereingliederung in die heimatlichen Schulen offenzuhalten“, ist ebenso revisionsbedürftig wie die Bestimmung ihres Adressatenkreises selbst. Die bisherige Zielsetzung ist am ehesten mit Blick auf die Kinder von Kriegsflüchtlingen und Asylbewerbern vertretbar. Die alte Vereinbarung schließt diese, die Kinder nichtdeutscher Selbständiger und deutscher Aussiedler aus.
- Für die Schulen sind allein die Sprachkenntnisse und Lernbiographien ihrer Schüler, nicht aber der zuwanderungsrechtliche Status relevant. Das Schulrecht für Zuwandererkinder ist daher aus dem ausländerrechtlichen Kontext herauszulösen und ausschließlich vom Bildungsauftrag her zu bestimmen.
- Fördermaßnahmen sind an den individuellen Bedarf gebunden; eine Differenzierung nach dem Aufenthaltsstatus verletzt das Recht auf schulische Bildung und verfehlt die soziale Integration. Partikularangebote wie muttersprachlicher Unterricht, Muttersprachen als Unterrichtsfächer, Sprachfeststellungsprüfungen oder Regelungen zu den Fremdsprachen sind aus ihrem Ursprungskontext der Beschulung von „Gastarbeiterkindern“ zu lösen, zu Regelangeboten unter deutscher Schulaufsicht nach Maßgabe der vorhandenen Sprachenpluralität zu machen und für alle Interessierten zu öffnen.
- Es besteht ein individueller Anspruch auf Religionsunterricht; als institutionelle Garantie verpflichtet Art. 7 GG die Länder, das ihrerseits Erforderliche zu tun, vor allem mit der islamischen Gemeinschaft religionsadäquate und grundgesetzgemäße Strukturen zu entwickeln.

Tab. 1 Ausländer im Bundesgebiet seit 1960

Jahr	Ausländische Bevölkerung in Tsd. an der Gesamtbevölkerung[1]	Anteil der ausländischen Bevölkerung in Prozent
1960	686,2	1,2
1968	1.924,2	3,2
1969	2.381,1	3,9
1970	2.976,5	4,9
1971	3.438,7	5,6
1972	3.526,6	5,7
1973	3.966,2	6,4
1974	4.127,4	6,7
1975	4.089,6	6,6
1976	3.948,3	6,4
1977	3.948,3	6,4
1978	3.981,1	6,5
1979	4.143,8	6,7
1980	4.453,3	7,2
1981	4.629,7	7,5
1982	4.666,9	7,6
1983	4.534,9	7,4
1984	4.363,6	7,1
1985	4.378,9	7,2
1986	4.512,7	7,4
1987	4.240,5	6,9
1988	4.489,1	7,3
1989	4.845,9	7,7
1990	5.342,5	8,4
1991	5.882,3	7,3
1992	6.495,8	8,0
1993	6.878,1	8,5
1994	6.990,5	8,6
1995	7.173,9	8,8
1996	7.314,0	8,9
1997	7.365,8	9,0
1998	7.319,6	8,9
1999	7.343,6	9,0

[1] Ab 1991 gesamtdeutsche, zuvor westdeutsche Statistik

Quelle: Ausländerbeauftragte 2000

Tab. 2 Asylbewerber und Aussiedler im Bundesgebiet[1] seit 1960

Jahr	Asylbewerber	Aussiedler
1960	2.980	19.169
1965	4.337	24.942
1969	11.664	30.039
1970	8.645	19.444
1971	5.388	33.637
1972	5.289	23.895
1973	5.595	23.063
1974	9.424	24.507
1975	9.627	19.657
1976	11.123	44.402
1977	16.410	54.261
1978	33.136	58.062
1979	51.493	54.802
1980	107.818	52.071
1981	49.391	69.455
1982	37.423	48.170
1983	19.737	37.925
1984	35.278	36.459
1985	73.832	38.968
1986	99.650	42.788
1987	57.379	78.523
1988	103.076	202.673
1989	121.318	377.055
1990	193.063	397.073
1991	256.112	221.995
1992	438.191	230.565
1993	322.599	218.688
1994	127.210	222.591
1995	127.937	217.898
1996	116.367	177.751
1997	104.353	134.419
1998	98.644	103.080
1960-1979	209.840	613.412
1980-1998	2.489.279	2.908.347

[1] Ab 1991 gesamtdeutsche, zuvor westdeutsche Statistik

Quelle: Bundesamt für die Anerkennung ausländischer Flüchtlinge; Beauftragter der Bundesregierung für Aussiedlerfragen.

Tab. 3 Ausländer im Bundesgebiet nach Staatsangehörigkeit am 31.12.1999

Staatsangehörigkeit	absolut	%[1]
Ausländer insgesamt	7.343.591	100,0
1. Türkei	2.053.564	28,0
2. BR Jugoslawien[2]	737.204	10,0
3. Italien	615.900	8,4
4. Griechenland	364.354	5,0
5. Polen	291.673	4,0
6. Kroatien	213.954	2,9
7. Österreich	186.090	2,5
8. Bosnien-Herzegowina	167.690	2,3
9. Portugal	132.623	1,8
10. Spanien	129.893	1,8
11. Iran	116.446	1,6
12. Großbritannien	113.487	1,6
13. USA	111.982	1,5
14. Niederlande	110.519	1,5
15. Frankreich	107.191	1,5
16. Rumänien	87.504	1,2
17. Vietnam	85.362	1,2
18. Marokko	81.450	1,1
19. Afghanistan	71.955	1,0
20. Libanon	54.063	0,7
21. Ungarn	53.152	0,7
22. (ehem.) Sowjetunion	50.363	0,7

[1] Anteil an der ausländischen Bevölkerung insgesamt.
[2] Personen, die im Ausländerzentralregister am Auszählungsstichtag mit jugoslawischer Staatsbürgerschaft geführt wurden.

Quelle: Statistisches Bundesamt, Ausländerbeauftragte 2000

Tab. 4 Ausländische Unionsbürger in Deutschland am 31.12.1999
(EU-Freizügigkeit gemäß Art. 8a EG-Vertrag)

EU-Ausländer	absolut	%[1]
EU-Staaten	1.858.672	100,0
1. Italien	615.900	33,1
2. Griechenland	364.354	19,6
3. Österreich	186.090	10,0
4. Portugal	132.623	7,1
5. Spanien	129.893	7,0
6. Großbritannien	113.487	6,1
7. Niederlande	110.519	6,0
8. Frankreich	107.191	5,8
9. Belgien	23.284	1,3
10. Dänemark	20.320	1,1
11. Schweden	18.178	1,0
12. Irland	15.527	0,8
13. Finnland	15.449	0,8
14. Luxemburg	5.857	0,3

[1] Anteil an den EU-Ausländern insgesamt.

Quelle: Statistisches Bundesamt, Ausländerbeauftragte 2000

GERHARD HECK

Die Sekundarstufe I
Eine Bestandsaufnahme nach der Wiedervereinigung

Um die Sekundarstufe I ist es ruhiger geworden. Jahrzehntelang hatte der Streit „Dreigliedriges Schulsystem" versus „Gesamtschule" die Diskussion über die Gestaltung der Sekundarstufe I bestimmt. Mitte der 1980er-Jahre stagnierten deshalb Schulreform und Bildungsbewegung. Anfang der 1990er-Jahre zeigte sich aber im Zuge der schulpolitischen Kolonisierung der neuen Bundesländer, dass das Einfrieren von Schulstrukturen und insbesondere der Entwicklungsstillstand integrationsorientierter Schulmodelle sich an keiner langfristigen Strategiekonzeption orientiert hatte.

Jetzt kam wieder Bewegung in die Sekundarstufe I. Neue Schulformen wie die „Mittelschule", die „Sekundarschule", die „Erweiterte Realschule" oder die „Regionale Schule" bereichern seitdem die Schulentwicklungsdiskussion.

Der Blick auf mehrere Jahrzehnte öffentlicher Auseinandersetzung über die Institution Schule darf nicht dazu verleiten, langfristige bildungspolitische und reformpädagogische Diskussionsprozesse zu übersehen. Zwar hat tatsächlich zwei Jahrzehnte lang die Diskussion „Gesamtschule" versus „Dreigliedrigkeit" die Aufmerksamkeit und die reformorientierten Veränderungsmotive gebündelt, die gesellschaftspolitischen Akzente von Schulreform wiederentdeckt und schließlich zu einem Gegeneinander von A- und B-Ländern geführt. Aber die Diskussion um die strukturellen Veränderungsnotwendigkeiten der Sekundarstufe I bewegten sich freilich in einem zeitlich größeren Zusammenhang und standen insbesondere nach der Wiedervereinigung wieder auf der bildungspolitischen Tagesordnung.

Dreigliedrigkeit, Integration oder Zweigliedrigkeit

Das dreigliedrige Schulsystem der Weimarer Republik überstand den Nationalsozialismus und stabilisierte sich sehr schnell – ungeachtet anfänglicher Schulreformansätze in einzelnen Bundesländern und den bildungspolitischen Bemühungen der Alliierten mit der Direktive 54 – wieder als „bewährtes" Struktursystem nach 1949 in allen Ländern der Bonner Republik.

Mit Beginn der 1960er-Jahre kam es zu einer ungewohnten demographischen und ökonomischen Konstellation, die mit einer öffentlichen Debatte über gesellschaftliche Chancenungeichheiten einherging und eine Diskussion über Formen einer integrierten Sekundarstufe I auslöste. 1963 wies HEINRICH ROTH als einer der ersten darauf hin, dass die Entwicklung der Volksschule zur „Restsschule" vorhersehbar sei und plädierte deshalb für eine Integration von Volks- und Mittelschule (der späteren westdeutschen Realschule) (vgl. ROTH, 1963 und HERRLITZ, 1981). Neben der gesamtschulischen Integration aller drei Schulformen in der Sekundarstufe I wird also die *Zweigliedrigkeit* als Alternative zur *Dreigliedrigkeit* schon sehr früh als bildungspolitische Strukturvariante gedacht. Zwei Jahrzehnte später hat dann KLAUS HURRELMANN in der Konfrontationsdiskussion um die Gesamtschule 1980 den Vorschlag gemacht, die unversöhnliche Front zwischen Dreigliedrigkeit und Integration durch die Zweigliedrigkeit zu verringern, um die bildungspolitische Blockierung aufzulösen (HURRELMANN, 1980). HURRELMANN stützte seinen Diskussionsvorschlag, nach dem sich Gymnasien und Integrierte Gesamtschulen als die zwei tragenden Säulen des westdeutschen Schulwesens langfristig etablieren würden, auf die „Realitätsplausibilität" und die pragmatische Durchsetzbarkeit (HURRELMANN, 1988).

Die Auseinandersetzung über Hurrelmanns Thesen löste eine Diskussion aus, die die Zweigliedrigkeit im bildungspolitischen Anspruchskontext der integrierten Geamtschule problematisierte, wie dies HERRLITZ in seinem Aufsatztitel „Die integrierte Haupt- und Realschule – eine Alternative zur integrierten Gesamtschule?" 1981 deutlich zum Ausdruck brachte. Das tradtionelle Gymnasium mit seinem durchgängigen Bildungsweg von Klasse 5 bis Klasse 13 überstand dank seiner Oberstufenreform von 1972 und dank zunehmender Bildungsbeteiligung nahezu unbehelligt alle Versuche, seine Klassen 5 bis 10 generell einer wie auch immer integrierten Sekundarstufe I zu „opfern".

Erst in den 1990er-Jahren wird die Zweigliedrigkeit als Alternative sowohl zur Dreigliedrigkeit als auch zur integrierten Gesamtschule diskutiert. Diese Entwicklung ließ dann auch ihre standortbezogenen Reformaspekte deutlicher in den Vordergrund treten. Zunächst aber beherrschte in den 1980er-Jahren die Diskussion um die Hurrelmannschen Thesen die Schulreformdebatte (zusammenfassend BRADTKE 1995), wobei die Warnungen vor einem neuen Zweiklassensystem dominierten. ANDREAS GRUSCHKA und GÜNTER RÜDELL (1988) verdeutlichen diese Einwände unter den Vorgaben einer nicht integrierten Sekundarstufe II, KLAUS KLEMM und HANS-GÜNTER ROLFF (1988) kritisieren die schwerwiegenden Belastungen der Grundschule im Sinne eines forcierten Selektionsdruckes. Im Vorgriff auf die gegenwärtigen Entwicklungen lassen sich diese Argumente reaktualisieren, weil die Ausgestaltung der Sekundarstufe II im Anschluss an integrierte oder teilintegrierte Sekundarstufen I weiter Probleme bereitet, die Konkurrenz um die Übergänge aus der Grundschule jedes Jahr über Wochen die öffentliche Auseinandersetzung bestimmt und beide Probleme die Schulträger immer wieder in größere Schwierigkeiten bringt. Zwar hat die Expansion der Bildungsbeteiligung, der Abbau von geschlechtsspezifischen und regionalen Besonderheiten, die Differenzierung der Bildungsgänge, die Professionalisierung der Lehrerausbildung und die Modernisierung der Curricula eine Reihe von alten Problemen in Angriff genommen, aber die Durchlässigkeit innerhalb der Sekundarstufe I bleibt mit dem Zwang zu einer Schullaufbahnentscheidung nach der Grundschule ebenso ein Strukturproblem wie die Förderung leistungsschwacher Schüler in allen Sekundarstufe I-Formen und die regionalen Ungleichheiten der Wahlmöglichkeiten. Hinzu kommen die steigenden und zugleich sich wandelnden Anforderungen des technologisierten Beschäftigungssystems und des Lebens in einer modernisierten Informationsgesellschaft. Da mit der Wahl der Schullaufbahn ganz unterschiedliche Chancen verbunden sind, diese neuen Anforderungen aktiv zu bewältigen, entstehen neue Disparitäten, die mit dem Schulangebot vor Ort unmittelbar zusammenhängen.

Vor diesem Hintergrund formulierte die Deutsche Gesellschaft für Erziehungswissenschaft 1992 ein komplexes Schulreformprogramm, das darauf hinauslaufen sollte,

- „den Streit um die flächendeckende Einführung der Gesamtschule oder die Beibehaltung des dreigliedrigen Schulwesens zu beenden,
- der Entstehung neuer Disparitäten vorzubeugen und bestehende abzubauen,
- der Entwicklung und Erprobung flexibler Organisationsformen im Bereich der Sekundarstufe I besondere Aufmerksamkeit zu widmen,
- sich auf ein verbindendes Konzept von Grundbildung in der Sekundarstufe I zu verständigen,
- den Gestaltungsspielraum der einzelnen Schulen stärker an pädagogischen Ansprüchen auszurichten und diesen gemäß zu erweitern und
- Einsichten erziehungswissenschaftlicher Forschung und Theoriebildung für bildungspolitische Entscheidungsprozesse stärker in Anspruch zu nehmen.“ (ARBEITSGRUPPE DER ENTWICKLUNG DES BILDUNGSWESENS 1992, S. 20).

Dieser Vorschlag der Hochschulpädagogen wurde ein Jahr später von der Politik aufgenommen.

Der lange Weg zur KMK[1] – Vereinbarung von 1993

Die erziehungswissenschaftliche Debatte um die „richtige" Schulform wurde Anfang der 1990er-Jahre von vielen lokalen und regionalen Veränderungen überholt, weil vor Ort die Sekundarstufe I als gesicherte schulische Grundbildung für die Berufsausbildung, die Weiterbildungsbereitschaft und die aktivere Lebensgestaltung neu entdeckt wurde. Zwischen Gymnasium und integrierter Gesamtschule entwickelte sich eine neue *Schulreformbewegung*, die sich auf die Sekundarstufe I konzentrierte (HAMBURGER / HECK 1999). Diese neue Schulreformbewegung ließ sich in bundesrepublikanischen Dimensionen im Wesentlichen auf zwei Momente zurückführen:

- Nach der Wiedervereinigung konnte den fünf neuen Bundesländern das westdeutsche Schulsystem nicht einfach übergestülpt werden, obwohl dort der Übergang von der integrierten Polytechnischen Oberschule zu gegliederten Schulformen bei aller „Kolonisierung" doch weitgehend selbst vollzogen wurde. Allerdings gab es auch dort Überlegungen, etwas Neues zu beginnen und nicht mit dem westdeutschen Schulsystem auch dessen Blockaden zu übernehmen.

- Der zweite Mobilisierungsschub war demographischer Natur. Der Rückgang der Schülerzahlen im ländlichen Raum stellten Schulverwaltung und Bildungspolitik vor das Dauerproblem: Wie kann man ein differenziertes und zugleich wohnortnahes Schulangebot bei rückläufigen Schülerzahlen zur Verfügung stellen? Ein stark gegliedertes Schulwesen wurde somit für die regionale Schulökonomie zum Modernisierungshindernis.

Die gesellschaftspolitischen Motive, die für die Gesamtschuldiskussion der 1960er- und 1970er-Jahre relevant waren, spiel-

[1] KMK = Ständige Konferenz der Kultusminister.

ten für die neue Schulreformbewegung der 1990er-Jahre nur eine nachgeordnete Rolle. Dennoch erinnerte man sich ihrer in erstarrten Schullandschaften, wo eine langjährige christdemokratische Dominanz durch einen Regierungswechsel – wie z. B. in Rheinland-Pfalz 1992 – endete und damit der Weg für integrierte Gesamtschulen und Zusammenschlüsse von Haupt- und Realschulen zu Regionalschulen freigegeben wurde.

Um sich der gesamtgesellschaftlichen Dimension des bildungspolitischen Dauerbrenners Sekundarstufe I zu versichern, muss man sich das Bedingungsgefüge der Schule in den 1960er-Jahren in Erinnerung rufen. Das dreigliedrige Schulwesen passte damals in die ideologische Begründung einer Gesellschaftsordnung, die sich in Unter-, Mittel- und Oberschicht aufteilen ließ und kam dem Ordnungsmodell der Arbeitswelt entgegen. Die klassische Legitimationsformel für das dreigliedrige Schulsystem und seine gesellschaftliche Funktion formulierte Mitte der 1950er-Jahre der Pädagoge HEINRICH WEINSTOCK: „Dreierlei Menschen braucht die Maschine: Den, der sie bedient und in Gang hält; den, der sie repariert und verbessert; schließlich den, der sie erfindet und konstruiert ... Die richtige Ordnung der modernen Arbeitswelt gliedert sich in drei Hauptschichten: Die große Masse der Ausführenden, die kleine Gruppe der Entwerfenden und dazwischen die Schicht, die unter den beiden anderen vermittelt. D. h.: Die einen müssen anordnen und verordnen, die anderen müssen den Ordnungsgedanken ausführen; aber damit das ordentlich geschieht, muss eine dritte Gruppe den Übergang vom Gedanken zur Tat, von der Theorie zur Praxis vermitteln ...

Die ersten müssen zuverlässig antworten, die dritten selbständig fragen können; die Mittelschicht aber ist dafür verantwortlich, dass die Fragen der einen von den anderen richtig verstanden werden ... Was ergibt sich aus dieser Struktur unserer modernen Arbeitswelt für den Aufbau unseres Bildungswesens? Offenbar verlangt die Maschine eine dreigegliederte Schule: Eine Bildungsstätte für die Ausführenden, also zuverlässig antwortenden Arbeiter, ein Schulgebilde für die verantwortlichen Vermittler und endlich ein solches für die Frager, die so genannten theoretischen Begabungen“ (WEINSTOCK 1955).

Zehn Jahre später entstand aus einem Bündnis ökonomischer Wettbewerbsinteressen und verfassungsverbriefter Chancengleichheitsforderungen (PICHT, 1964; DAHRENDORF, 1969) eine faszinierende Schulreformbewegung, die ihre konzeptionelle Krönung 1970 im Strukturplan des deutschen Bildungsrates fand. Aus Angst vor der „Bildungskatastrophe“ und in der Gewissheit eines „Bürgerrechts auf Bildung“ kam es nach 1969 zu zahlreichen Gesamtschulgründungen, die programmatisch die Auflösung des dreigliedrigen Schulsystems zum Ziel hatten. 1975 gab es bereits mehr als 260 Gesamtschulen in der Bundesrepublik Deutschland, etwa 150 in der integrierten und etwa 110 in der kooperativen Form. Fast alle diese Schulen wurden als Neugründungen und Neubauten errichtet. Bildungspolitisch problematisch für die bundesrepublikanische Entwicklung war, dass über 80 % dieser Schulen (genau: 227) in damals sozial-liberal regierten Bundesländern standen, und zwar vor allem in Berlin, Hessen und Nordrhein-Westfalen. Daran wird deutlich, wie unterschiedlich CDU- und SPD-Kultusminister gemeinsam Beschlossenes handhabten.

Doch nach der Verflüchtigung der Ökonomieargumente durch die Ölkrise (1973) und die sich anbahnende Dauer-Arbeitslosigkeit und einer ansteigenden Bildungspartizipation durch die Verdoppelung der Schülerzahlen an Gymnasien und Realschulen war die *Gesamtschulbewegung* der Beharrlichkeit der traditionellen Strukturen nicht mehr gewachsen (TILLMANN, 1986). Hinzu kam, dass sie aus wahltaktischen Gründen von ihren bildungspolitischen Sponsoren in den sozialdemokratisch regierten Bundesländern nur noch halbherzig unterstützt wurde.

Nach Jahren großer Kontroversen begann eine neue Phase schulpolitischer Sachlichkeit. Am Vorabend des Weihnachtsfestes 1993 beendeten die Kultursminister plötzlich einvernehmlich ihren scheinbar unversöhnlich festgefahrenen Streit um die Schulstrukturreform für alle Jahrgänge der Sekundarstufe I und akzeptierten, dass „Schulorte im Sekundarbereich I (...) jeweils einen oder mehrere Bildungsgänge umfassen" können. Um sicher zu sein, dass die neue Einigkeit nicht unterlaufen oder als Formelkompromiss entwertet würde, formulierte die Ministerrunde sehr konkret in ihrer „Vereinbarung über die Schularten und Bildungsgänge im Sekundarbereich I" vom 3.12.1993: „Schularten mit mehreren Bildungsgängen sind die Gesamtschule, das Schulzentrum, die Mittelschule, die Regelschule, die Sekundarschule, die Verbundene Haupt- und Realschule, die Integrierte Haupt- und Realschule und die Regionale Schule.

Die Gesamtschule in kooperativer Form und das Schulzentrum fassen die Hauptschule, die Realschule und das Gymnasium pädagogisch und organisatorisch zusammen. (...)

Die Mittelschule, die Regelschule, die Sekundarschule, die Verbundene Haupt- und Realschule, die Integrierte Haupt- und Realschule und die Regionale Schule fassen die Hauptschule und die Realschule pädagogisch und organisatorisch zusammen." (KMK, 1995)

Bewertet man die getroffene Vereinbarung im Lichte ihrer konservativen Kritiker, kann der bildungspolitische Kompromiss des akzeptierten Nebeneinanders von gegliederten und integrierten Schulstrukturen so falsch nicht sein. Beispielsweise mokierte sich der Hessische Elternverein (HEV) über das 'Vokabelverzeichnis', das man jetzt braucht, um sich in den Schulbezeichnungen zurechtzufinden (ELTERNBRIEF DES HEV o.J., S. 4). Auch der Deutsche Lehrerverband fuhr schweres Geschütz auf: Die Vereinbarung „verwische die Bildungsprofile, sei einseitig auf gesamtschulähnliche Schulsysteme ausgerichtet, verzichte weitgehend auf differenzierte schulische Leistungsanforderungen, lasse eine inflationäre Vergabe mittlerer Bildungsabschlüsse und eine gymnasiale Oberstufenreife auf geringem Niveau zu, sehe keinerlei verbindliche Modalitäten der Prüfungsverfahren vor." (ebd. S. 5)

Ob die Kultusminister mit ihrem Beschluss von Dezember 1993 produktive Vielfalt in die bundesrepublikanische Schullandschaft einziehen lassen wollten oder sich mit inzwischen neu bestehenden Schulstrukturen nachträglich einverstanden erklärten, ist weniger bedeutsam als die Tatsache, dass heute in allen Bundesländern mit Ausnahme von Bayern und Baden-Württemberg eine große Vielfalt unterschiedlicher *Integrationsformen* und unterschiedlicher Schulverbundsysteme in der Sekundarstufe I existieren.

Die neuen Veränderungen in der Sekundarstufe I

In fast allen Bundesländern sind im vergangenen Jahrzehnt integrationsorientierte Strukturbewegungen in der Sekundarstufe I festzustellen.

Nur in den Bundesländern Bayern und Baden-Württemberg haben die Landesregierungen integrierenden Schulformen eine Absage erteilt. Sie haben ihre wenigen, als „Modellversuche" aus Landesmitteln finanzierten Gesamtschulen aus ideologischen Gründen auslaufen lassen und es den „Sachaufwandsträgern" – d.h. den Städten und Gemeinden – übertragen, integrierende Schulverbundsysteme einzurichten und zu finanzieren. Als „Schulen besonderer Art" dürfen sie keineswegs das dreigliedrige Schulangebot vor Ort ersetzen und sind natürlich auch keine Regelschulen.

Von den neuen Bundesländern hat nur Mecklenburg-Vorpommern konsequent das dreigliedrige Schulsystem übernommen, es in sehr geringem Umfang um integrierte und additive Gesamtschulen erweitert und auch noch die überholte Form des Progymnasiums hinzugefügt. Zwischenzeitlich gibt es – erwartungsgemäß – erhebliche Probleme, im ländlichen Raum ein wohnortnahes Schulangebot mit tatsächlichen Wahlmöglichkeiten zu sichern. Dies zwingt zu Neuentwicklungen, beispielsweise zur Kooperation von Haupt- und Realschulen.

In den meisten Bundesländern, in denen die drei getrennten Schulformen des traditionellen Schulsystems neben der Integrierten und Kooperativen Gesamtschule als Regelschule angeboten werden, existieren heute auch teilintegrative Schulformen. Diese sind entweder auf landesspezifische Entwicklungen lange vor den Reformdiskussionen der 1960er-Jahre oder auf neuere Initiativen gegen den Bedeutungsverlust der Hauptschule zurückzuführen. In drei der neuen Bundesländer sind neue Schulformen im Sekundarbereich an Stelle der Haupt- und Realschulen getreten.

Im Bundesland Schleswig-Holstein z. B. sind solche teilintegrativen Schulformen relativ weit verbreitet. Hier, insbesondere in den ländlichen Regionen des Westens und Nordens, gibt es Realschulen, die mit Haupt- oder Grundschulen organisatorisch verbunden sind. Diese Verbindungen von Real-, Haupt- und Grundschule sind aus den „Aufbauzügen" an den früheren Volksschulen hervorgegangen, die zum Zweck der Bildungsförderung im ländlichen Raum eingerichtet worden waren. Allerdings kann es auch in der Gegenwart noch zu solchen Verbindungen kommen, wenn die Bedürfnisse der lokalen Schulträger solche Entwicklungen präferieren. An ihren traditionellen Standorten genießen diese sog. Verbindungsschulen große Akzeptanz. Mitte der 1990er-Jahre waren es insgesamt 35, davon 15 Realschulen ausschließlich mit Hauptschulteil, eine Realschule ausschließlich mit einem Grundschulteil und 13 Realschulen mit Grund- und Hauptschulteil. Ihr Anteil von 13 % an allen Realschüler/-innen und 5 % an allen Grund- und Hauptschüler/-innen des Landes unterstreicht ihre relative Bedeutung.

In Bremen existiert die Sekundarstufe I in neun Gesamtschulen in integrierter Form, wobei sechs Gesamtschulen als „integrierte Stadtteilschulen“ ausgewiesen werden. Darüber hinaus existieren Schulzentren für die Sekundarstufe I, in denen bescheidenere Formen der Integration und Kooperation gepflegt werden; Beispiele sind etwa die Integrierte Haupt- und Realschule an der Helgoländer Straße oder seit 1995 das Schulzentrum Obervieland. Ausdrücklich wertet Bremen als Erfolg dieser Modelle die soziale Integration der Schüler von zwei Bildungsgängen, die Vermeidung einer ausgegrenzten Minderheit von Hauptschülern, größere Durchlässigkeit und Fördermöglichkeit und die schulische Integration und Kooperation der Kollegien.

Während in Schleswig-Holstein, Bremen und Hamburg sowohl Gesamtschulen als auch Teilintegrationen eine längere Tradition besitzen, haben sich integrationsorientierte Schulverbindungen in Rheinland-Pfalz erst seit der Regierungsbeteiligung der SPD im Jahr 1992 durch eine Ausweitung der Gesamtschulen, aber vor allem in Form der Regionalen Schulen etablieren können.

Die Regionale Schule integriert Inhalte und Qualifikationsmöglichkeiten von Haupt- und Realschulen und soll insbesondere in ländlichen Gebieten ein wohnortnahes und differenziertes Schulangebot gewährleisten (GUKENBIEHL / MAHR-GEORGE, 1999). Was an sechs Hauptschulen im Schuljahr 1992/93 als Modellversuch der Bund-Länder-Kommission und des Landes Rheinland-Pfalz begann, entwickelte sich derart erfolgreich, dass inzwischen fast 100 dieser Regionalen Schulen existieren und diese Schulform als Regelschulangebot seit 1997 gesetzlich verankert ist.

Das Saarland hat 1996 in einem bildungspolitisch historischen Kompromiss von CDU und SPD mit der Erweiterten Realschule (ERS) als neuer Schulform die bisherigen Schulformen der Hauptschule und der Realschule abgelöst und zusammengefasst (RIPPEL, 1999). In der ERS werden in den Klassenstufen 5 und 6 alle Schüler gemeinsam unterrichtet, ab Klasse 7 orientieren sich Unterricht und Fächerwahl an abschlussbezogenen Bildungsgängen. Wie die Gesamtschulen sind die ERS für die Grundschulen des Einzugsbereichs Pflichtschulen; nur für die Gymnasien besteht freie Schulwahl.

In Niedersachsen besuchen alle Schüler gemeinsam eine Orientierungsstufe, wechseln aber in Klasse 7 in die drei traditionellen Schulformen, sofern sie sich nicht bereits nach der Grundschule für eine Gesamtschule entschieden haben. Seit 1993 gibt es darüber hinaus im Sekundarstufen I-Bereich den Schulversuch „Sekundarschule“, der Haupt- und Realschule auf Initiative von Schulträgern zusammenführte, die einen Weg suchten, ihre Hauptschule zu erhalten. Inzwischen ist die Zahl der Sekundarschulen auf ein Dutzend angewachsen.

In Thüringen gilt die gemeinsame Regelschule, an der Haupt- und Realschulabschlüsse erworben werden können, als das Herzstück der Schulstruktur nach der Wende. Sie wird von zwei Dritteln aller Schüler der Sekundarstufe I besucht und ist Pflichtschule für diejenigen, die sich nach der Klasse 5 nicht für ein Gymnasium entschieden haben (WEISHAUPT / PLATH, 1999).

Sachsen-Anhalt unterlag 1990 dem Zwang der Anpassung an westdeutsche Schulstrukturen. Nach dem ersten Regierungswechsel hat es dann zuerst seine Schulstruktur mit der Einführung der gemeinsamen Förderstufe und der Gesamtschule erweitert und später mit Beginn des Schuljahres 1999/2000 seine Sekundarstufe I dahingehend geändert, dass jetzt alle, die nicht das Gymnasium besuchen, in die Sekundarschule gehen. In ihr werden die Bildungsgänge der Haupt- und Realschule aufgehoben. In Sachsen-Anhalt beträgt jetzt auch die Vollzeitschulpflicht zehn Jahre, damit alle Schüler einen mittleren Bildungsabschluss erwerben. Die Sekundarschule schließt die Klassen 5 und 6 als Förderstufe ein (WAGNER, 1999).

In Sachsen wurde bereits 1991 ein zweigliedriges allgemein bildendes Schulsystem eingeführt. Es gibt keine eigenständigen Haupt- und Realschulen, aber auch keine Gesamtschulen. Die Mittelschule als neue Schulform und das Gymnasium teilen sich die Schüler und Schülerinnen der Sekundarstufe I, wobei seit 1998 ca. 70 % der Jahrgänge nach der Grundschule die neue Schulform mit ihrer zentralen Abschlussprüfung besuchen (LEONHARDT-RUNK; STENKE, 1999).

Die Länder Hessen, Nordrhein-Westfalen und Berlin haben schon Mitte der 1960er-Jahre mit integrierten Gesamtschulen den Problemen der schulstrukturbedingten Selektion in der Sekundarstufe I bildungspolitisch entgegenwirken wollen. Deshalb gibt es dort die meisten Gesamtschulen der Republik und deshalb wurde auch dort der „Schulkampf" in den 1970er-Jahren aufs Erbitterste geführt. Dessen ungeachtet überwiegt auch in diesen Ländern noch die klassische Dreigliedrigkeit nach der Grundschule; in Berlin umfasst diese allerdings sechs Schuljahre.

Unter den neuen Bundesländern hat sich nach 1990 nur Brandenburg für eine sechsjährige Grundschule entschieden. Danach besuchen die Schülerinnen und Schüler Gesamtschulen, Realschulen oder Gymnasien; auf einen Hauptschulbildungsweg wurde verzichtet.

Bilanz und Ausblick

Die strukturelle Entwicklung im Bereich der Sekundarstufe I und die mit ihr einhergehenden pädagogischen Reformbemühungen seit der Wiedervereinigung lassen keine stringente Ausrichtung erkennen. Die bildungspolitische Bilanz ist zwischen produktiver Vielfalt und neuer Unübersichtlichkeit anzusiedeln. Wenn auch die neue Heterogenität der Schulformen in der Sekundarstufe I für Lehrer, Eltern und Schüler weniger Übersichtlichkeit mit sich bringt, kann man dennoch verallgemeinerungsfähige Tendenzen nicht übersehen:

- Die Sekundarstufe I des deutschen Schulsystems kann zu Beginn des neuen Jahrhunderts mit dem Begriff „Strukturpluralität" gekennzeichnet werden. Ihre Erprobungsformen sind vielfältig, ihre Struktur vielgliedrig. Damit entstehen z. B. in städtischen Wohngebieten größere Wahlfreiheiten, im ländlichen Raum dagegen Konkurrenzen um die kleiner gewordene Schülerschar. Insofern es sich nicht um „neue“ Gesamtschulen handelt, werden die traditionellen Strukturprobleme der frühen Auslese und der geringen Durchlässigkeit zwischen den Schulformen nur sehr begrenzt aufgehoben.

- Die Prozesse stärkerer Föderalisierung nehmen zu. Sie begannen mit der Positionierung in A- und B-Länder und werden durch die deutsche Einigung erheblich vertieft (vgl. LESCHINSKY, 1992; ROEDER, 1997). Die Bundesländer sind – dank des KMK-Beschlusses von 1993 – wieder zu unabhängigen Akteuren in der Schulpolitik geworden, wobei die Heterogenität und Gegensätzlichkeit ihrer Reforminitiativen nur durch sehr allgemeine Rahmenvereinbarungen zusammengehalten wird. Unterhalb der Länderebene haben sich alte *regionale Disparitäten* gehalten, bzw. es sind neue entstanden, so dass „zwischen Verödung und Überangebot“ (BARGEL / HUTHE, 1992, S. 98) alle nur denkbaren Versorgungstypen nebeneinander bestehen. Da veränderte Schullaufbahnen und das ihnen vorausgehende Wahlverhalten den Schüler für manche Schulform zum knappen Gut werden lassen und sich dies beim Schulträger als Planungsschwierigkeit bemerkbar macht, gewinnen lokale und kommunale Interessen zunehmend Steuerungseinfluss auf die Schulentwicklung in der Sekundarstufe I (vgl. BRADTKE, 1995). Dieser Prozess mündet schließlich in der Absicht, der einzelnen Schule größere Räume der Selbststeuerung und am Ende konkret Autonomie einzuräumen (ROEDER, 1997).

- Die 'Autonomie'-Diskussion um Schule legitimiert Schulreform im Einzelfall. Die Debatte über „gute Schule“ hat gezeigt, dass die *Qualität der Schule* erheblich von ihrer Konzeption und der Praxis der in ihr tätigen Personen und Personengruppen abhängt (RUTTER, 1980; STEFFENS /

BARGEL, 1993; ROLFF, 1993). So gesehen erhalten Initiativen und Reformaktivitäten für die je eigene Schule einen neuen Stellenwert. Im gelingenden Fall kann die lokale Reform ein „Fundament pädagogischer Erfahrung, das gegen dogmatische bildungspolitische Kampfparolen immun sein dürfte“ (HERRLITZ, 1981, S. 96), schaffen. Demgegenüber zeigt die Einführung eines gegliederten Bildungswesens in den neuen Bundesländern, das ungeachtet der Qualität jeder Einzelschule die Bildungsschichtung neu hergestellt und verstärkt wird (MELZER, 1996). Dennoch sind auch dort die Qualität von Schulen nicht schulformabhängig: In der Konsequenz bedeutet dies, dass bildungspolitisch über die Schulform zu streiten ist, aber dessen ungeachtet pädagogisch an der Qualität einer jeden Schule gearbeitet werden muss. Das eine ist durch das andere nicht ersetzbar.

- Eine Analyse der Sekundarstufe I kann die neue Rolle der Realschule nicht übersehen. Sie ist die Schulform, die von den Entwicklungen der letzten Jahre quantitativ am meisten profitiert hat und die im Hinblick auf den Erfolg ihres Bildungsganges auch prestigemäßig aufgewertet wurde. Sie ist das orientierende Modell für die Integration der Hauptschule. Dort, wo neue Schulformen als integrierte oder kooperative Formen neben der Realschule entstehen, verwahrt sich die Lehrerschaft der Realschule häufig gegen die Schülerschaft der Hauptschule. Dass Haupt- und Realschulen einander näherrücken oder unter einem Dach zusammenwachsen, wird also durchaus auch mit Abgrenzungsreaktionen beantwortet, die von der Realschule ausgehen. Es ist zu erwarten, dass sich die „Realschulfraktionen“ in integrierten Formen als besonders aufstiegs- und leistungsorientiert profilieren.

- In allen Bundesländern entstehen aufgrund der verfestigten Gruppierungen einer für das dreigliedrige Schulsystem ausgebildeten Lehrerschaft Probleme des Personaleinsatzes.

Die Identifikation der Lehrer unterschiedlicher Besoldungsgruppen in integrierten Schulsystemen mit „ihrer“ Schule erweist sich im Prozess von Reformen als ambivalent. Einerseits ruft die Identifikation mit der eigenen Schule pädagogisches Engagement hervor, andererseits werden die steigenden zugemuteten Veränderungen dann aber „ständisch“ nach dem Maße des gefürchteten Prestigeverlustes definiert.

- Strukturpluralität und Vielfalt lassen sich nicht nur als schöne Buntheit, sondern auch als problematische Undurchschaubarkeit interpretieren: Traditionelle Formen (z. B. das Gymnasium, die Realschule) profitieren von ihrem eingespielten Prestige, neue Formen haben wegen ihres Innovationsanspruchs einen Wettbewerbsvorteil, traditionelle Formen ohne Prestige (Haupt- und Sonderschule) erleiden einen Anerkennungsverlust auch dann, wenn in ihnen qualitativ gut und innovativ gearbeitet wird. Die neuen Formen müssen Aufstiegs- und Durchlässigkeitsmöglichkeiten versprechen, auch wenn diese nur sehr begrenzt realisierbar sind. Die Elternorientierung im Hinblick auf Sicherung des sozialen Status bzw. des sozialen Aufstiegs nimmt an Bedeutung zu. Auch wird mehr und mehr die elterliche Erziehungsbewusstheit und ihre schulpolitische Informiertheit bedeutsam, weil Breite und Vielfalt der Wahlmöglichkeiten nicht von allen Eltern in gleicher Weise erkannt und realisiert werden.

- Bei der Neugestaltung der Sekundarstufe I werden die Folgen für das Sonderschulwesen bzw. die Förderschulen noch wenig diskutiert. Zwei Tendenzen können dabei aufeinander treffen: Einerseits gibt es reale Tendenzen einer Integration in allen Schulformen. Die Ausweitung von Differenzierung innerhalb eines Systems ist aber an Voraussetzungen gebunden, insbesondere an personelle Ressourcen. An dieser Stelle werden eher Restriktionen als günstige Konstellationen erkennbar. Andererseits kann sich gerade durch die integrativen Systeme in diesen der Druck verstärken, die „unbequemen" Schüler loszuwerden und sie in Sonderschulen für Verhaltensauffällige und Lernbehinderte zu verdrängen. Diese Form der Segregation benötigt zwar noch mehr Ressourcen, erweist sich aber als nützlich für die Stabilisierung anderer Integrationsprozesse. Dann wäre der Erfolg der Integration der „Hauptschulklientel" in eine Regionale Schule oder eine Erweiterte Realschule u. Ä. mit dem Preis der Aussonderung eines kleinen Teils dieser Klientel in Sonderschulen verbunden.

Die Entwicklungstendenzen im Sekundarbereich I bestätigen, dass angesichts des Verschwindens der Hauptschule die Realschule deren Funktion der Vorbereitung für eine Berufsausbildung übernimmt, das Gymnasium sich zum modernen „Gesamtgymnasium" entwickelt und die Gesamtschule im ländlichen Raum ihre vielfältigen Funktionen am besten realisieren kann, während sie in städtischen Gebieten in Konkurrenz zu Gymnasien auf Teilfunktionen reduziert wird. Die Widersprüchlichkeit der Funktionszuweisungen von Förderung und Auslese, Vereinheitlichung und Individualisierung, Profilbildung und Sicherung einer Standardqualifikation wird in der Vielfalt der Schulformen und Bildungsgänge nicht aufgehoben.

Gleichzeitig aber zeigen Analysen einzelner Schulen, dass in einer reflektierten und engagierten Praxis die gegensätzlichen Anforderungen balancierend aufgegriffen und pädagogisch gestaltet werden können. Die Schulen mit einer langen Tradition der Schulreformarbeit zeigen, dass ein großer Handlungsspielraum für die einzelne Schule produktiv ausgefüllt werden kann (MAMBURGER / HECK, 1999). Der Forderung nach mehr Autonomie stehen in diesen Schulen die Kompetenz zur pädagogischen Realisierung und der Wille zur Übernahme von Verantwortung gegenüber. Das gilt leider keineswegs für alle Schulen. Für die pädagogische Ausgestaltung von Schulautonomie bedarf es deshalb guter Vorbereitung.

Schulen und Schulformen im Jahr 2000 / Der Sekundarbereich I in den Ländern der Bundesrepublik Deutschland

Land	**Organisation der Kl. 5 u. 6**	**Organisation der Kl. 7-10 (bzw. 7-13)**	**Ergänzende Informationen**
Baden-Württemberg	In den jeweiligen Schulformen	HS: Kl. 5-9 (bzw. 10) RS: Kl. 5-10 GYM:. Kl. 5-13	IGS u. Koop. GS als "Schulen besonderer Art" möglich.
Bayern	In den jeweiligen Schulformen	HS: Kl. 5-9 (bzw. 10M ab 2000) RS: Kl. 5 (bzw. 7)-10 Wirtschaftsschulen: Kl. 7 (bzw. 8)-10 GYM:. Kl. 5-13	IGS u. Koop. GS als "Schulen besonderer Art" möglich.
Berlin	Teil der 6-jährigen Grundschule	HS: Kl. 7-10 RS: Kl. 7-10 GYM:. Kl. 7-13 IGS: Kl. 7-10 bzw. 13	Wegen des Hauptstadtvertrags möglicherweise demnächst GYM und RS ab Kl. 5
Brandenburg	Teil der 6-jährigen Grundschule	IGS: Kl. 7-10 bzw. 13 RS: Kl. 7-10 GYM:. Kl. 7-10	

Bremen	Orientierungsstufe in den jeweiligen Schulformen	HS: Kl. 7-9 (bzw. 10) RS: Kl. 7-10 IGS: 7-10 (bzw. 13) GYM:. Kl. 7-13	Schulen der Sekundarstufe I sind überwiegend Schulzentren.
Hamburg	integrierte Beobachtungsstufe An den jeweiligen Schulformen; für HS und RS	HS: Kl. 7-9 RS: Kl. 7-10 GYM:. Kl. 5-13 IGS: Kl. 5-10 (bzw. 13) Koop. GS: Kl. 5-10 (bzw. 13)	Integration von HS und RS als Schulversuch. HS und RS immer räumlich gemeinsam in Schulzentren
Hessen	Integrierte und nach Schulformen getrennte Förderstufe	HS: Kl. 5 (bzw. 7)-9 (bzw. 10) RS: Kl. 5 (bzw. 7)-10 GYM:. Kl. 5 (bzw. 7)-10 oder 13 IGS: Kl. 5-10 (bzw. 13) Koop. GS: Kl. 5 (bzw. 7)-9 (für HS) bzw. 10 (für RS) bzw. 13 (für GYM)	Förderstufen an Grundschulen und Sekundar-I-Schulen

Mecklenburg-Vorpommern	In den jeweiligen Schulformen	HS: Kl. 5-9 RS: Kl. 5-10 GYM:. Kl. 5-12 IGS: Kl. 5-10 (bzw. 12) Koop. GS: Kl. 5-10 (bzw. 12)	Verbundene HS und RS möglich
Niedersachsen	gemeinsame Orientierungsstufe	HS: Kl. 7-9 RS: Kl. 7-10 GYM:. Kl. 7-13 IGS: Kl. 5-10 (bzw. 13) Koop. GS: Kl. 5-9 (HS), bis 10 (RS), bis 13 (GYM)	Sekundarschule (Verbund von HS und RS) als Schulversuch (Ende 2001 soll die Orientierungsstufe aufgelöst werden!)
Nordrhein-Westfalen	Erprobungsstufe getrennt nach Schulformen	HS: Kl. 5-10 RS: Kl. 5-10 IGS: Kl. 5-10 (bzw. 13) GYM:. Kl. 5-13	

Rheinland-Pfalz	Nach Schulformen getrennte Orientierungsstufe	HS: Kl. 5-9 RS: Kl. 5-10 Regionale Schule: Kl. 5-10 (bzw. 9) GYM:. Kl. 5-10 (bzw. 12,5) IGS: Kl. 5-10 (bzw. 12,5) Koop. GS: Kl. 5-10 (bzw. 12,5)	Integrierte Orientierungsstufen möglich.
Saarland	In den jeweiligen Schulformen	Erweiterte RS: Kl. 5-10 (bzw. 9) GYM: Kl. 5-10 (bzw. 13) IGS: Kl. 5-10 (bzw. 13)	Bis 2002 auslaufend: RS und Sekundarschulen als Verbund HS und RS
Sachsen	Orientierungsstufe in den jeweiligen Schulformen	Mittelschule: Kl. 5-10 GYM: Kl. 5-12	HS-Abschluss nach Kl. 9, qualifizierter HS-Abschluss und RS-Abschluss nach Kl. 10 der Mittelschule
Sachsen-Anhalt	Förderstufe in den jeweiligen Schulformen	Sekundarschule: Kl. 5-10 GYM: Kl. 5-12 IGS: Kl. 5-10 (bzw. 12) Koop. GS: Kl. 5-10 (bzw. 12)	

Schleswig-Holstein	In den jeweiligen Schulformen	HS: Kl. 5-9 (bzw. 10) RS: Kl. 5-10 IGS: Kl. 5-10 (bzw. 13) Koop. GS: Kl. 5-10 (bzw. 13) GYM:. Kl. 5-13	Verbindungsschulen (Teilintegration von GR, HS und RS) möglich.
Thüringen	Offene Orientierungsphase in den jeweiligen Schulformen	Regelschule: Kl. 5-10 (bzw. 9) GYM: Kl. 5-12 IGS: Kl. 5-10	

Legende:
GR: Grundschule / GYM: Gymnasium / HS: Hauptschule / IGS: Integrierte Gesamtschule / Koop. GS: Kooperative Gesamtschule / RS: Realschule

Quellen: Rösner 1998; Hamburger / Heck 1999; mündliche und schriftliche Mitteilungen der zuständigen Ministerien an den Autor

Für Entscheidungen über Schulformen sind auch weiterhin bildungspolitische „Rahmungen“, für die Entwicklung von Autonomie sind Initiative und Kreativität an jeder einzelnen Schule notwendig. Nur wenn beide gleichermaßen verantwortungsvoll getragen werden, erhalten Reformen in der Sekundarstufe I ihre Chance.

Literatur

ARBEITSGRUPPE ENTWICKLUNG DES BILDUNGSWESENS DER DEUTSCHEN GESELLSCHAFT FÜR ERZIEHUNGSWISSENSCHAFT: Strukturprobleme, Disparitäten, Grundbildung in der Sekundarstufe I; hrsg. von Peter Zedler. Weinheim 1992.

BARGEL, TINO / KUTHE, MANFRED: Regionale Disparitäten und Ungleichheiten im Schulwesen. In: Arbeitsgruppe Entwicklung des Bildungswesens der Deutschen Gesellschaft für Erziehungswissenschaft: Strukturprobleme, Disparitäten, Grundbildung in der Sekundarstufe I; hrsg. von Peter Zedler. Weinheim 1992, S. 41–103.

BRADTKE, DIETER: Die Regionalisierung der Schulreform. Frankfurt am Main 1995.

BUND-LÄNDER-KOMMISSION FÜR BILDUNGSPLANUNG UND FORSCHUNGSFÖRDERUNG 1995.

ELTERNBRIEF DES HEV o. J.

GRUSCHKA, ANDREAS / RÜDELL, GÜNTER: Mit zweierlei Maß auf den Weg zur Zweigliedrigkeit? In: Die Deutsche Schule 80, 1988, Heft 4, S. 483–491.

GUKENBIEHL, HERMANN / MAHR-GEORGE, HOLGER: Die Regionale Schule in Rheinland-Pfalz. In: Hamburger, Franz / Heck, Gerhard (Hrsg.): Neue Schulen für die Kids. Opladen 1999, S. 37–55.

HAMBURGER, FRANZ / HECK, GERHARD (Hrsg.): Neue Schulen für die Kids. Opladen 1999.

HERRLITZ, HANS-GEORG: Die integrierte Haupt-Realschule – eine Alternative zur Integrierten Gesamtschule? In: Die Deutsche Schule 73 1981, Heft 2, S. 93–97.

HURRELMANN, KLAUS: Die Gesamtschul-Idee darf nicht zerforscht werden. In: Frankfurter Rundschau vom 21.5.1980, S. 14.

Ders.: Thesen zur strukturellen Entwicklung des Bildungswesens in den nächsten fünf bis zehn Jahren. In: Die Deutsche Schule 80, 1988, Heft 4, S. 451–461.

KLEMM, KLAUS / ROLFF, HANS-GÜNTER: Innere Schulreform im zweigliedrigen Schulsystem? – Eine kritische Analyse neuerer bildungspolitischer Konzepte aus der Sicht der Schulentwicklungsforschung. In: Die Deutsche Schule 80, 1988, Heft 4, S. 462–471.

LEONHARDT-RUNCK, MARITA / STENKE, DORIT: Die Mittelschule in Sachsen – eine entwicklungsoffene Schule. In: Hamburger, Franz / Heck, Gerhard (Hrsg.): Neue Schulen für die Kids. Opladen 1999, S. 125–136.

LESCHINSKY, ACHIM: Sekundarstufe I oder Volksschuloberstufe? – Zur Diskussion um den Mittelbau des Schulwesens am Ende der Weimarer Zeit. In: Neue Sammlung 18, 1978, S. 404–430.

Ders.: Dezentralisierung im Schulsystem der Bundesrepublik Deutschland. In: Arbeitsgruppe Entwicklung des Bildungswesens der Deutschen Gesellschaft für Erziehungswissenschaft: Strukturprobleme, Disparitäten, Grundbildung in der Sekundarstufe I; hrsg. Von Peter Zedler. Weinheim 1992, S. 21–40.

MELZER, WOLFGANG / STENKE, DORITH: Schulentwicklung und Schulforschung in den ostdeutschen Bundesländern. In: Rolff, Hans.-Günther, u. a. (Hrsg.): Jahrbuch der Schulentwicklung, Band 9, Weinheim 1996, S. 307–336.

RIPPEL, JOACHIM: Der bildungspolitische („historische") Kompromiss – die Erweiterte Realschule im Saarland. In: Hamburger, Franz / Heck, Gerhard (Hrsg.): Neue Schulen für die Kids. Opladen 1999, S. 25–35.

ROEDER, PETER M.: Der föderalisierte Bildungsrat. Reformprogramme aus den Bundesländern. In: Zeitschrift für Pädagogik 43, 1997, S. 131–148.

RÖSNER, ERNST: Die Sekundarschulen. Einführung und Überblick. In: Pädagogik 50, 1998, Heft 1, S. 44–49.

ROLFF, HANS-GÜNTHER: Wandel durch Selbstorganisation. Weinheim, München 1993.

ROTH, HEINRICH: Die Zukunft der Volksschule. In: Die Deutsche Schule 55, 1963, S. 553–567.

RUTTER, MICHAEL: Fünzehntausend Stunden. Weinheim 1980.

STEFFENS, ULRICH / BARGEL, TINO: Erkundungen zur Qualitativen Schule. Neuwied 1993.

TILLMANN, KLAUS-JÜRGEN: Zwanzig Jahre Gesamtschule. In: WPB, 1986, Heft 3, S. 12–14.

VORTMANN, HERMANN: Sekundarstufe I. Eine vielgestaltige Schulstufe für einzigartige Schülerinnen und Schüler. Heinsberg 1997.

WAGNER, ADOLF: Die Gestaltung der Sekundarschule in Sachsen-Anhalt. In: Hamburger, Franz / Heck, Gerhard (Hrsg.): Neue Schulen für die Kids. Opladen 1999, S. 111–124.

WEISHAUPT, HORST / PLOTH, MONIKA: Die Regelschule in Thüringen. – Entwicklungsstand und Perspektive. In: Hamburger, Franz / Heck, Gerhard (Hrsg.): Neue Schulen für die Kids. Opladen 1999, S. 93–110.

DIETMAR J. BRONDER

Hauptschulpädagogik in Deutschland

Hauptschulpädagogik und Hauptschulbildungsgang

Damit keine Missverständnisse auftreten, sei vorausgeschickt, dass hier keine eigenständige Hauptschulpädagogik begründet werden soll. Dies verbietet sich deshalb, weil die bezogene Schülergruppe erst durch die Organisation der Schulen in den Ländern der Bundesrepublik Deutschland sowie durch fortlaufende Selektion zu Hauptschülerinnen und Hauptschülern gemacht werden. Der Begriff *Hauptschulpädagogik* soll vielmehr als Sammelbezeichnung für jene praktischen Bemühungen der Lehrerinnen und Lehrer im Hauptschulbildungsgang verwendet werden, ihren Schülerinnen und Schülern unter den Bedingungen der Pflichtschule[1] gerecht zu werden.

Mit *Hauptschulbildungsgang*[2] sollen unabhängig von den differierenden Schulbezeichnungen und Systematisierungen der länderspezifischen Schulgesetze schließlich jene Bildungswege bezeichnet werden, deren Ziel der im Einigungsvertrag[3] beschriebene Hauptschulabschluss ist, einschließlich der Optionen des qualifizierten bzw. erweiterten Hauptschulabschlusses mit oder ohne Fachoberschulreife sowie der Berechtigung zum Besuch einer gymnasialen Oberstufe.

---

[1] Vgl.: Bronder, Dietmar J.: Schulen zwischen Pflicht und Freiwilligkeit. In: Schule heute 4/94, S. 3–4 sowie ders.: 200 Jahre Schulpflicht in NRW. In: Schule heute 6/94, S. 3–4.

[2] Vgl.: Zenke, Karl G.: Der Hauptschulbildungsgang zwischen eigenständiger Schulart, verbundenen und integrierten Systemen. In: Handbuch Hauptschulbildungsgang, Band 1: Grundlegung, hrsg. v. Dietmar J. Bronder, Heinz-Jürgen Ipfling und Karl G. Zenke, Bad Heilbrunn/OBB. 1998, S. 9–24.

[3] Vertrag über die Herstellung der Einheit Deutschlands – Einigungsvertrag – Art. 37 (4).

Organisationsformen des Hauptschulbildungsgangs

Der Hauptschulbildungsgang ist in den Bundesländern in eigenständigen Hauptschulen, kombinierten bzw. integrierten Haupt-Realschulen sowie integrierten Gesamtschulen organisiert. Die Mischformen aus Haupt- und Realschulen werden dabei überwiegend mit eigenen Schulbezeichnungen und damit verbundenen eigenständigen Philosophien als Schulen der Sekundarstufe I geführt. Die nachfolgende Tabelle gibt eine Übersicht über die derzeitigen Organisationsformen des Hauptschulbildungsgangs sowie über die unterschiedlichen Schulpflichtregelungen. Dabei wird deutlich, dass der Eintritt in die Sekundarstufe I entweder nach einer sechsjährigen Grundschulzeit (z. B. Berlin), nach einer Orientierungsstufe (Niedersachsen) oder nach einer vierjährigen Grundschulzeit (Baden-Württemberg) vorgesehen ist. Demzufolge beginnt der Hauptschulbildungsgang mit der fünften oder mit der siebten Klasse. Demgegenüber ist die Dauer der Schulpflicht in den Bundesländern unterschiedlich geregelt. Angegeben ist der jeweils frühestmögliche Zeitpunkt der Beendigung der Vollzeitschulpflicht. So endet der Hauptschulbildungsgang in einigen Ländern mit der neunten Klasse, wobei sich beispielsweise im Freistaat Bayern ein freiwilliges zehntes Schuljahr nach erfolgreicher Zusatzprüfung (Quali) anschließen kann. Eine weitere Besonderheit des südlichen Flächenstaates sind die 'M-Klassen', in denen bereits ab dem siebten Jahrgang an der Hauptschule auf den mittleren Abschluss vorbereitet wird. Ein Kuriosum zeigt der Hauptschulbildungsgang in den Ländern mit zehnjähriger Schulpflicht (NRW): dort erhalten die Schüler/-innen nach der neunten Klasse ein Abschlusszeugnis für den Erwerb des Hauptschulabschlusses und ein Jahr später ein weiteres Abschlusszeugnis für den Sekundarabschluss.

Einige Länder bauen ihr Schulsystem derzeit um. So hat Bayern bisher alle Kinder, die nicht in das Gymnasium überwechselten, der Hauptschule zugewiesen und von dort nach Klasse 6 den Übergang in die Realschule ermöglicht. Die Folge waren Hauptschulübergangsquoten deutlich über dem Bundesdurchschnitt. Seit 1999 gibt es in diesem südlichen Bundesland viele Realschulen, die mit Klasse 5 beginnen. Diese 'grundständigen' Realschulen erfreuen sich hohem Zulauf, so dass sie bald flächendeckend das bayerische Schulsystem beherrschen werden. Zu rechnen ist dann in Bayern mit Entwicklungen wie in den nördlichen Ländern. Dort, wo Mischformen neben eigenständigen Hauptschulen ausgewiesen sind, werden jene in Zukunft flächendeckend die Hauptschule ersetzen (Saarland).

Heterogenität der Pflichtschule

Auch wenn der Hauptschulbildungsgang nicht in allen Bundesländern zur *Pflichtschule* erklärt wird, so ist er doch die schulische Institution in jedem Regelsystem, die alle Kinder aufnehmen muss, die keine andere Schule besuchen (können). Wer in einem Land mit dreigliedrigem Schulsystem die Bedingungen für die Realschule oder das Gymnasium nicht erfüllt, wer anderswo wegen fehlender Aufnahmekapazität von der angestrebten Gesamtschule abgelehnt wird, wen der staatliche Schulzwang erreicht, wer im Laufe seines Bildungsweges durch Realschule, Gymnasium oder Gesamtschule den Anforderungen nicht gerecht wird, der muss aufgrund bestehender Schulpflicht im Hauptschulbildungsgang beschult werden. Daraus ergeben sich besondere Qualitätsanforderungen an die Arbeit der im Hauptschulbildungsgang tätigen Pädagogen und Pädagoginnen.

So sind im Hauptschulbildungsgang Schüler/-innen versammelt, die es an anderen Schulen nicht oder nicht in dieser relativen Anzahl gibt:

- Kinder, die aufgrund ihrer prognostischen Eignung den Hauptschulabschluss anstreben,
- Kinder, deren Eltern den Hauptschulabschluss als Bildungsziel gewählt haben,

- Kinder, die eigentlich einen anderen Bildungsgangs besuchen wollten resp. sollten,
- Kinder aus Familien ohne Bildungstradition bzw. -aspiration,
- Schulformwechsler bzw. Bildungswegabbrecher aus anderen Schulformen bzw. Bildungsgängen,
- Seiteneinsteiger (Kinder von Aussiedlern, Asylsuchenden, Kriegsflüchtlingen u. Ä.) sowie
- ausländische Schüler/-innen mit geringen Kenntnissen der deutschen Sprache.

Tab. 1 Organisationsformen des Hauptschulbildungsgangs in Deutschland

Bundesland	**Organisation des Hauptschulbildungsgangs**	**Beginn der Hauptschulbildung**	**Dauer der Schulpflicht**
Baden-Württemberg	Hauptschule	Klasse 5	9 Jahre
Bayern	Hauptschule	Klasse 5	9 Jahre
Berlin	Hauptschule, kombinierte u. integrierte Haupt-Realschulen	Klasse 7	10 Jahre
Brandenburg	Gesamtschule	Klasse 7	10 Jahre
Bremen	Hauptschule (als Abteilung in Schulzentren), Integrierte Stadtteilschule (H-RS), Kooperative u. Integrierte Gesamtschule	Klasse 7	10 Jahre
Hamburg	Hauptschule, Integrierte Haupt-Realschule	Klasse 5	9 Jahre
Hessen	Hauptschule, Verbundene Haupt-Realschule	Klasse 5	9 Jahre
Mecklenburg-Vorpommern	Hauptschule, Verbundene Haupt-Realschule, Gesamtschule	Klasse 5	9 Jahre
Niedersachsen	Hauptschule, Haupt-Realschule, Sekundarschule	Klasse 7	9 Jahre
Nordrhein-Westfalen	Hauptschule, Gesamtschule	Klasse 5	10 Jahre
Rheinland-Pfalz	Hauptschule, Regionale Schule, Integrierte Gesamtschule	Klasse 5	9 Jahre
Saarland	Hauptschule, Erweiterte Realschule, Gesamtschule	Klasse 5	9 Jahre
Sachsen	Mittelschule	Klasse 5	9 Jahre
Sachsen-Anhalt	Sekundarschule	Klasse 5	9 Jahre
Schleswig-Holstein	Hauptschule, Gesamtschule	Klasse 5	9 Jahre
Thüringen	Regelschule	Klasse 5	9 Jahre

Qualitätskriterien der Hauptschulpädagogik

Zusätzlich zu den allgemeinen Qualitätskriterien, die heute an die Lernergebnisse der allgemein bildenden Schulen angelegt werden, und zusätzlich zur Verpflichtung, den Anforderungen der Gesellschaft zu genügen, ergeben sich aus den Lebensweltbezügen der Schüler/-innen im Hauptschulbildungsgang besondere Qualitätskriterien, von denen einige nachfolgend genauer ausgeführt werden.

Integration der Ausländer

Selbstverständlich gibt es ausländische Schüler/-innen in allen Schulformen. Insbesondere die soziale Integration ist für diese in sich heterogene Gruppe eine besondere Herausforderung an die pädagogische Qualität des Hauptschulbildungsgangs und seines Lehrkörpers. Als beispielsweise der Konflikt im damaligen Jugoslawien eskalierte, kamen Kinder in ein und dieselbe Klasse, deren Volksgruppen sich im Heimatland bekämpften und die von den gegenseitigen Menschenrechtsverletzungen stark betroffen waren. Ähnliches gilt für Türken und Kurden, Kurden und Iraker und so fort. Ausgesiedelte Kinder aus Polen oder Russland sind von ihren Familien oft gegen ihren Willen aus dem vertrauten Umfeld und ihren sozialen Beziehungen gerissen worden. Kinder ausländischer Arbeitnehmer waren in ihrem Heimatland längst berufstätig, als sie nach erfolgter Familienzusammenführung vor dem Erreichen der Altersgrenze in Deutschland wieder schulpflichtig wurden. Für pädagogische Abforderungen, die sich daraus ergeben, muss der Hauptschulbildungsgang wie kein anderer pädagogische Antworten bereithalten.

Rehabilitation der *Schulformwechsler*

Ein weiteres Qualitätsmerkmal wird durch jene Kinder eingefordert, die den Anforderungen anderer weiterführender Schulen nicht mehr genügen. Manche haben eine Odyssee durch Jahrgangswiederholungen, Nachprüfungen oder durch mehrere Bildungsgänge hinter sich. Die Ursachen des Leistungsversagens müssen nicht zwangsläufig in mangelnder kognitiver Leistungsfähigkeit liegen, sondern können zurückführbar sein auf

- mangelnde soziale Integration in die besuchte Schule / Klasse,
- mangelnde häusliche Unterstützung,
- kindliche Leistungsverweigerung wegen erfahrener Demütigung,
- Familienprobleme, z. B. Scheidung der Eltern,
- sexuellen Missbrauch,
- Drogenprobleme,
- Vernachlässigung,
- Kriminalität (z. B. in Folge mangelnder Aufsicht durch Eltern) oder
- negative Einflüsse der Peergroup.

Gerade letzteres auszuschließen hat seit der Aufnahme ins Hamburger Abkommen der Kultusministerkonferenz 1964 die Eltern zunehmend bewogen, bei der Planung der Schullaufbahn für ihre Kinder die Hauptschule zu meiden, damit sie dort nicht mit jenen Heranwachsenden zusammentreffen, deren Umgang sie ihnen privat verboten haben. So ist der Anteil der Hauptschule an der Schülerschaft der Sekundarstufe I kontinuierlich auf das Niveau einer 'Nebenschule' mit starken regionalen Schwankungen abgesunken. Insbesondere in den Ballungsräumen hatte die Entwicklung Mitte der 1980-Jahre dramatische Formen angenommen, die nach der Wiedervereinigung in den neuen Ländern mit Ausnahme Mecklenburg-Vorpommerns und einiger Altländer zur Einführung eines zweigliedrigen Schulsystems führte und deren Endpunkt noch nicht erreicht ist. Der galoppierende Imageverlust der Schulform Hauptschule hält vielerorts junge Menschen davon ab, sich für eine Lehrtätigkeit an dieser Schulform zu entscheiden. So blieben allein in Nordrhein-Westfalen im Jahre 1999 ein Drittel der angebotenen Lehrerstellen an Hauptschulen ohne Bewerber. Betroffen sind vor allem die naturwissenschaftlichen Fächer, Englisch, Musik und Technik. Landesweit werden die Fächer Chemie zu 48,4 % und Technik zu 62,8 % fachfremd erteilt. Insgesamt werden 35,1 % aller Fächer an der Hauptschule fachfremd unterrichtet (Gymnasium 4,7, Gesamtschule 14,2 und Realschule 14,3 %).[4] Bundesweit ist die Zahl der Studienanfänger für ein Lehramt an der Hauptschule rückläufig, so dass allgemein in wenigen Jahren mit erheblichem Fachlehrermangel im Hauptschulbildungsgang gerechnet wird. In verschiedenen Bundesländern wird erwogen, verstärkt Gymnasiallehrer für eine Zeit des Unterrichtens in Hauptschulklassen zu gewinnen.

Beachtung individueller Lernstände

Was am Beispiel von Schulformwechslern und Ausländern bereits deutlich geworden ist, lässt sich in gewisser Weise auf alle Schüler/-innen übertragen: Sie haben aufgrund ihrer Biografie, ihrer kognitiven Konstitution und ihrer aktuellen Lebensumstände sehr unterschiedliche Lernstände zum Zeitpunkt des Eintritts in den Hauptschulbildungsgang und verschiedenartige Determinationen in Hinblick auf den zu erwartenden Lernfortschritt. Die *Qualität der Schule* wird in entscheidender Weise davon bestimmt, wie es gelingt, diese Vorgaben bei der Gestaltung der Unterrichtsvorhaben sowie des Schullebens zu berücksichtigen. In jenen Erziehungsfeldern Hilfen zu geben, in denen es angezeigt ist, und dort, wo es möglich ist, selbstbestimmtes Handeln zuzulassen, setzt Einfühlungsvermögen und Kreativität bei der Schaffung von Lernanlässen voraus. Erziehung geschieht in diesem Sinne also nicht immer unmittelbar, sondern geschieht durch die Herausforderung der Sachen.

[4] Vgl.: Schule heute 3/2000, S. 2.

Je nach den Notwendigkeiten muss die Schule über den Tellerrand ihres Fächerangebots hinausschauen und nach Vernetzungen mit Organisationen suchen, die entscheidend an der Erziehung und Bildung der Heranwachsenden mitwirken können. Dabei bildet der herkömmliche Unterrichtsvormittag keine natürliche Grenze, vielmehr ist die Schule in der Verantwortung, auch den Freizeitbereich in den Blick zu nehmen, wenn dieser Lernvoraussetzungen schaffen und Erziehungsprozesse begünstigen kann. Das Schlagwort von der „Öffnung der Schule“ ist für den Hauptschulbildungsgang keine zusätzliche Herausforderung, sondern selbstverständlicher Teil des traditionellen Schulprogramms. Der hauptschulspezifische Fachbereich Arbeitslehre fordert die Kooperation mit der Arbeitswelt ebenso heraus wie die Organisation der obligatorischen Schülerbetriebspraktika zwischen der achten und der zehnten Klasse. Und da die Berufswahlentscheidung für die Mehrzahl der Schüler/-innen bereits in der neunten Klasse getroffen werden muss, ist die Zusammenarbeit mit der Berufsberatung des Arbeitsamtes schon früh zwingend. Die Überwachung der Schulpflicht sowie manchen Einblick in lernbehindernde Familiensituationen bringen den Kontakt mit Gesundheits-, Jugendämtern und den schulpsychologischen Diensten mit sich und der Einfluss auf das Freizeitverhalten der Kinder und Jugendlichen ist ohne die Einbeziehung von Sportvereinen und Trägern der Jugendhilfe nicht denkbar.

Qualität der Hauptschulpädagogik ist darüber hinaus von dem Bemühen gekennzeichnet, möglichst allen Schülerinnen und Schülern jene Schlüsselqualifikationen zu vermitteln, die seitens der Ausbildungsbetriebe sowie der weiterführenden Schulen in der Sekundarstufe II eingefordert werden. Die Kritik an der Ausbildungsfähigkeit von Lehrstellenbewerbern zum Ende des vergangenen Jahrhunderts seitens Handwerk und Industrie zeigte Mängel im mathematischen Problemlösen, in der Sprache sowie im ‘Allgemeinwissen’ auf, was insbesondere auf Hauptschulabsolventen zutraf. Die internationalen und nationalen Leistungsvergleiche verwiesen die Haupt-Schüler/-innen auf hintere Plätze im von leistungsstarken Gymnasiasten angeführten Ranking. Ob die Mängel dieses Fünftels der bundesdeutschen Jugendlichen durch andere Qualifikationen kompensiert werden, darüber liegen Untersuchungen nicht vor. Doch selbst, wenn dies so wäre, bleibt die Verpflichtung, alle Anstrengungen zu unternehmen, allgemeine Bildungsinhalte auf schulformübergreifendem Niveau zu vermitteln.

Mit dieser Einführung in die besonderen qualitativen Herausforderungen an Lehrer/-innen im Hauptschulbildungsgang ist der Hintergrund erleuchtet worden, vor dem die nachfolgenden Beschreibungen der Hauptschulpädagogik zu verstehen sind. Die weitere Gliederung orientiert sich an der des zweiten Bandes des Handbuches Hauptschulbildungsgang[5]. Erziehung, Unterricht und Lebensweltbezug werden als Schwerpunkte der Hauptschulbildung nachfolgend dargestellt.

Jedes Kind dort abholen, wo es sich in seiner Entwicklung und Ausbildung zum Zeitpunkt des Eintritts in den Hauptschulbildungsgang befindet, den Anfangspunkt zu finden und jedes Mädchen und jeden Jungen im Rahmen seiner bzw. ihrer Begabungen und Fähigkeiten zum höchstmöglichen Schulabschluss zu führen, dies macht die Qualität des Hauptschulbildungsganges aus. Dabei sind drei Phasen zu unterscheiden:

- die Eingangsphase, die je nach Bundesland mit Klasse 5 oder 7 beginnt, in der es vor allem darauf ankommt, den jungen Menschen in eine neue Gemeinschaft zu integrieren und sein Selbstvertrauen zu stärken;
- die Phase der Differenzierung, in der es gilt Neugier und Lernfreude wiederzubeleben resp. zu wecken, um Interessen und Fähigkeiten zur Entfaltung zu bringen, und

[5] Handbuch Hauptschulbildungsgang, Band 2: Praxisberichte, hrsg. v. Dietmar J. Bronder, Heinz-Jürgen Ipfling und Karl G. Zenke, Bad Heilbrunn/OBB. 1999.

- die Abschlussphase mit vielfältigen Bezügen zur Berufswelt, zum Arbeitsmarkt und zum selbstständigen Leben in der Gesellschaft.

Selbstvertrauen stärken – Gemeinschaft bilden

Selbstvertrauen stärken

Unabhängig davon, ob ihr Eintritt in den Hauptschulbildungsgang am Ende einer vier- oder sechsjährigen Grundschulzeit oder nach einer Orientierungsstufe erfolgt, den Wettlauf um gesellschaftlich höher bewertete Bildungswege haben diese Kinder verloren. Um die negativen Auswirkungen dieser Schulerfahrungen während der Identitätsphase von Pubertät bzw. Vorpubertät zu begrenzen, widmen die Lehrer/-innen im Hauptschulbildungsgang der Eingangsphase besondere Aufmerksamkeit. Dabei findet auch das Wissen um das fehlende Stützungsverhalten mancher Eltern Berücksichtigung. Bei der notwendigen Stärkung ihres Selbstvertrauens geht es konkret darum, den Heranwachsenden „zu vermitteln, dass ein schlechter Schüler nicht allein deshalb schon ein schlechter Mensch ist“[6].

Es sind in der Regel Schülerinnen und Schüler aus verschiedenen Grundschulklassen, die einem neuen Schulanfang entgegensehen, verbunden mit einem Wechsel des Gebäudes, des Schulweges, neuen Lehrern und neuen Fächern. Die zweite erzieherische Aufgabe in der Eingangsphase besteht demnach darin, die neuen Hauptschüler/-innen zu einer Gemeinschaft zusammenzuführen. An vielen Orten beginnt der Schulalltag mit einem Projekt zum Kennenlernen der Schule, der Mitschüler, der Mitarbeiter/-innen sowie der Schulumgebung. Diese Tage werden intensiv gestaltet mit Spielen, Feiern, gemeinsamen Frühstücken und Erkundungsgängen.

[6] Ipfling, Heinz-Jürgen: Einführung, in: Handbuch Hauptschulbildungsgang, Band 2, a. a. O., S. 13.

Zusätzlich zu den neuen Schülerinnen und Schülern werden deren Familien willkommen geheißen. Grundlage der zukünftigen Zusammenarbeit mit den *Eltern* ist der enge und vertraute Kontakt, der vom Aufnahmegespräch an mit den Elternhäusern aufgebaut wird. Individuelle Gespräche, Eltern-Themen-Abende und das Angebot, in einem Förderverein aktiv zu werden, runden das Puzzle der Eingangsphase in den Hauptschulbildungsgang ab. Diese Möglichkeiten werden jedoch nur von einem Teil der Eltern wahrgenommen. Immer wieder gibt es Erziehungsberechtigte, die – häufig aufgrund eigener negativer Schulerfahrungen – auf Distanz zur Institution und den Mitwirkungsformen gehen. Von den Lehrerinnen und Lehrern wird daher im Umgang mit den Müttern und Vätern ein besonderes Maß an Einfühlungsvermögen in deren Erziehungsmotivation und -umsetzung verlangt; eine Gradwanderung zwischen willkommenem Rat und ungebetener Einmischung in Familienabläufe. Wenn Eltern von sich aus um Hilfe bei der Erziehung bitten, ist die Kompetenz der Lehrkräfte häufig überfordert. Grundsätzlich jedoch erwarten die Eltern, die ihre Kinder an der Hauptschule anmelden, dass sich die Schule intensiv der Erziehung ihrer Kinder annimmt und sich um diese kümmert. Sie vertrauen darauf, dass die Schule viel Wissen vermittelt und – ohne ihr Zutun – sie gut ausbildet. Regelmäßige Kontakte mit den Lehrkräften oder eine Kontrolle des tatsächlichen Unterrichtsangebotes liegt ihnen fern.[7] So übernehmen die Lehrerinnen und Lehrer – ungewollt – für viele ihrer Schüler/-innen in wichtigen Fragen der Persönlichkeitsentwicklung die Rolle der Eltern.

Der Aufbau sozialer Kompetenzen ist mit der Startphase in die Hauptschulklasse jedoch nicht abgeschlossen, sondern bleibt bis zum Ende des Hauptschulbildungsgangs vornehmliche Aufgabe. Als Kristallisationspunkte haben sich Projekte

[7] Rekus, Jürgen u. a.: Die Hauptschule: Alltag, Reform, Geschichte, Theorie. Weinheim; München 1998, S. 17–38.

zur Gewalt- und Suchtprävention sowie besondere Kurse zur Reflexion des geschlechtlichen Rollenverhaltens herausgebildet. Sie basieren im Wesentlichen auf ausgewählten Interaktionsspielen, die Selbst- und Fremdwahrnehmung sensibilisieren helfen und Konfliktlösungsstrategien anbieten.

Klassengemeinschaft fördern

Eingebettet sind diese Präventionsmaßnahmen in den Prozess zur Bildung der Klassengemeinschaft. Hierzu gehört auch das Einüben demokratischer Formen beispielsweise mittels Klassenrat. Dabei erhalten Hauptschüler/-innen die Möglichkeit, ihre Erwartungen und Wünsche zu artikulieren sowie Einfluss auf die Gestaltung ihrer Lernumgebung und das Schulklima zu nehmen. Zugleich dienen die Gespräche über Konflikte untereinander dem Verständnis der Schulordnung und deren Weiterentwicklung.

Konflikte oder Unterrichtsstörungen sind mit diesen Anstrengungen nicht aus dem Klassenzimmer verbannt. Diesen entgegenzuwirken und in pädagogisch sinnvolle Bezüge zu lenken, haben verschiedene Schulen zukunftsweisende Konzepte entwickelt:

- Auszeit als Chance zum selbstverantworteten Lernen in Werkstätten oder im Schulgarten,
- Lernwerkstatt als Raum zur Beruhigung und individuellen Arbeit,
- Schulstation als Ort des intensiven Zuhörens und Angebots von beratenden und fördernden Tätigkeiten.

Allen Vorhaben ist gemeinsam, dass sie als Hilfe für die Schüler/-innen bei Konflikten während des Unterrichts konzipiert sind. Es werden dann zentrale, sehr differenziert eingerichtete und von besonders fortgebildeten Pädagogen geleitete Räume eingerichtet. Während an einigen Schulen die Schüler/-innen selbst entscheiden, ob sie am stundenplanmäßigen Unterricht weiter teilnehmen, bestimmen an anderen die Lehrkräfte, ob die Schülerin bzw. der Schüler den Klassenraum verlassen darf, um wieder Ruhe für erneute Lernanstrengungen zu finden.

Schulformwechsler auffangen

Der gemeinschaftsbildende Prozess einer Hauptschulklasse wird immer dann unterbrochen und neu in Gang gesetzt, wenn Schüler/-innen aus anderen Schulformen in den Hauptschulbildungsgang wechseln. Dass dieser Fall die Regel und nicht die Ausnahme ist, belegt beispielsweise die Statistik des Landes Nordrhein-Westfalen, wo mit jährlich rd. 8.800 Schulformwechslern bei steigender Tendenz gerechnet wird. Und mit jedem neuen Schüler, mit jeder neuen Schülerin wird der Prozess der Gemeinschaftsbildung auf seinen Anfangspunkt verwiesen.[8]

Der Integrationsaufwand ist enorm, denn diese Heranwachsenden haben in ihrer bisherigen Schullaufbahn überwiegend Versagen, Minderwertigkeitsgefühle, Druck von Familie und sozialem Umfeld, permanente Überforderung sowie die Außenseiterrolle kennengelernt. Eben diese Jugendlichen müssen wieder schulische und soziale Erfolgs- sowie Selbstwerterlebnisse vermittelt bekommen, damit nach allen Negativerfahrungen, die mit Schule und Lernen zusammenhängen, wieder Lernlust und Anstrengungsbereitschaft sich einstellen können.

Aufgrund vorausgegangener Jahrgangswiederholungen sind Schulformwechsler in der Regel älter als ihre Klassenkameraden. Dies wirkt sich in zweifacher Hinsicht auf die pädagogische Arbeit aus: Erstens erhöht es die Altersheterogenität der Hauptschulklasse und erschwert die lebensweltbezogene Themenwahl, und zweitens endet die gesetzliche Schulpflicht dieser Schülergruppe vor Erreichen des Hauptschulabschlusses.

[8] Vgl.: Brockötter, Anette: Schulprogramm der TFS Ascheberg. In: www.ak-hauptschule.de, Forum Hauptschulbildungsgang, 1998.

Die Schulen reagieren darauf einerseits mit Methodenvielfalt sowie praktischen Projekten beispielsweise zur Umgestaltung ihrer Schulhöfe, andererseits halten sie ein Beratungslehrersystem vor, welches Übergänge aus der Schule ins Erwerbsleben über Schulzeitverlängerungen bis hin zu Förderlehrgängen anbieten kann.

Ausländer integrieren

In Gebieten mit hohem Ausländeranteil an der Bevölkerung[9] haben die Schulen Systeme von Auffang-, Vorbereitungs- und Integrationsklassen entwickelt, die dem jeweiligen Sprachstand der Schüler/-innen Rechnung tragen. Die Auffang- oder Vorbereitungsklasse nimmt zunächst alle neuen Schülerinnen und Schüler auf, die ohne Deutschkenntnisse einreisen. Es handelt sich dabei ebenso um Schüler/-innen, deren heimatlicher Schulbesuch mit dem deutschen Gymnasium vergleichbar ist, wie um Analphabeten.

Im Vordergrund der unterrichtlichen Arbeit steht eine handlungsorientierte und anschauungsgebundene Sprachschulung mit Einführung in die Lernmethodiken sowie das Kennenlernen der Schule und ihrer Umgebung. Individuell erfolgt nach wenigen Wochen oder vielen Monaten der Übergang in eine weitgehend altershomogene Vorbereitungsklasse. Situationsorientierter Sprachunterricht und zunehmender Fachunterricht summieren sich auf ca. 30 Wochenstunden. Je nach Sprachstand erfolgt der Übergang in eine Regelklasse häufig zunächst teilweise, d.h. durch Teilnahme an weitgehend sprachfreien Fächern wie Sport oder Kunst, später Mathematik und Naturwissenschaften, bevor die Teilnahme an allen

[9] Vgl.: Miegel, Meinhard: Zuwanderung und Sozialstaat. In: Angenendt, Steffen (Hrsg.): Migration und Flucht – Aufgaben und Strategien für Deutschland, Europa und die internationale Gemeinschaft. Schriftenreihe der Bundeszentrale für politische Bildung, Band 342, Bonn 1997, S. 99–104. Vgl. darin auch den Beitrag von Rainer Münz: Phasen und Formen der europäischen Migration, S. 34–47.

Fächern empfohlen wird. Bei vorhandenen Fremdsprachenkenntnissen kann eine Teilnahme am entsprechenden Sprachunterricht bereits sehr früh erfolgen, was die soziale Integration beschleunigt. Bis zur vollständigen Integration erhalten die Jungen und Mädchen zusätzlichen Förderunterricht mit dem Schwerpunkt im fachsprachlichen Bereich.

Nach spätestens zwei Jahren sehen die meisten Bundesländer den *Integrationsprozess* als abgeschlossen an. Dabei ist es kein Geheimnis, dass Sprachbegabung und soziale Einbindung in die deutschsprachige Gesellschaft den Spracherwerb dramatisch beeinflussen. Die jüngsten Untersuchungen des Medienkonsums ausländischer Familien insbesondere in den Ausländerwohnvierteln der Großstädte zeigen, dass diese verstärkt von den Möglichkeiten Gebrauch machen, Satellitenprogramme aus ihren Herkunftsländern zu empfangen mit dem Ergebnis, dass die jüngste Ausländergeneration weniger die deutsche Sprache beherrscht als die vorherige.

In den Regelklassen werden besondere Integrationsmaßnahmen fortgeführt. Diese beziehen sich zuerst auf den sozialen Bereich, in dem die ausländischen Schüler in keiner Weise hervorgehoben werden und alle Schülerinnen und Schüler in der Klasse gleich behandelt werden. Jedoch immer dann, wenn die kulturelle und religiöse Eigenständigkeit hervortritt, nehmen die Lehrkräfte dies zum Anlass, auf Hintergründe hinzuweisen und allen Kindern Einblick in diese Andersartigkeit zu geben. Bei Klassenfahrten und Schulfesten oder im Hauswirtschaftsunterricht wird auf religiös bedingte Ernährungsgewohnheiten selbstverständlich Rücksicht genommen. Kurz gesagt: Es wird eine Atmosphäre von Normalität aufgebaut, in der Integration gedeihen kann.

Lebendig unterrichten – Lernfreude wecken

Freude ist ein Ergebnis von Leistung. Zur Leistung bereit ist, wer weiß, dass er die anstehende Arbeit ausführen kann. Wer erfahren hat, dass er die Schwierigkeiten einer Aufgabe meistern kann, wer die notwendigen Hilfen erhält, wenn er aus eigener Kraft auftretende Hürden nicht überwinden kann, wer Zustimmung und Lob erhalten hat, der ist auch bereit, freudig und zuversichtlich an neue Probleme heranzutreten. Dies ist der enge Zusammenhang zwischen Lernfreude und Selbstwertgefühl.

Schüler in den Mittelpunkt stellen

Unterricht im Hauptschulbildungsgang stellt die Schülerin bzw. den Schüler in den Mittelpunkt. Ihre bzw. seine Selbsterfahrung soll angebahnt werden. Mit den didaktischen Entscheidungen über die Gegenwarts- und Zukunftsbedeutungen von Unterrichtsthemen ist demnach immer zugleich die Frage verknüpft, ob damit Selbsttätigkeit verbunden und Motivation aufgebaut werden können. Die heterogene Schülerschaft und die Rahmenbedingungen erlauben auf diese Frage keine kurzschlüssige Antwort. Binnendifferenzierung und individuelle Zuwendung auch in Form von zusätzlichem Förderunterricht sind notwendige Bestandteile der Unterrichtsplanung.

Intensivere Zuwendung durch den Lehrer / die Lehrerin und damit größere Erfolgsaussichten wären jedoch mit einer familienähnlichen Gruppengröße verbunden, dem allerdings der Gleichheitsgedanke vieler Schulgesetze entgegensteht. Obwohl sie aufgrund ihrer Vorgeschichte und der häuslichen Situation ein bedeutend höheres Maß an persönlicher Betreuung benötigen, erhalten die Schülerinnen und Schüler im Hauptschulbildungsgang per Gesetz in Form großer Klassen und mangelhafter Ausstattung eben nur wenig mehr als jene Unterstützung, die Kinder und Jugendliche mit stark tragenden Familien auch erhalten. Dass es den Lehrkräften dennoch – praktisch gegen den parlamentarischen Willen – gelingt, in kreativer Weise ihren Unterricht so zu organisieren, dass viele Jugendliche gestärkt den Hauptschulbildungsgang verlassen können, spricht für ein hohes Maß an didaktisch-methodischer Kompetenz des Personals.

Der einzelne Schüler muss dort abgeholt werden, wo er gerade steht; seine individuellen Stärken und Schwächen müssen in die Planung und Strukturierung des Unterrichts einbezogen werden. Probleme sind rechtzeitig zu erkennen und Hilfen dort zu geben, wo sie für die Bewältigung der Aufgabe notwendig sind. Weder die tägliche Unterrichtsverteilung noch die Dauer des Hauptschulbildungsgangs erlauben ein Sich-Zeit-lassen. Leistung in Bezug auf den Abschluss und die allgemeinen Anforderungen ist zu erbringen. Daher sind Themen und Lerngegenstände wenn immer möglich so zu wählen, dass einerseits die notwendigen Inhalte vermittelt und zugleich die Erziehungsziele erreicht werden können. Lehrmethoden sind so anzuwenden, dass Klarheit in der Sache geschaffen wird und zugleich persönliche Werthaltungen aufgebaut werden können.

Lebendig unterrichten

Seine Lebendigkeit erhält der Unterricht im Hauptschulbildungsgang durch die Variationen von Phasen selbstbestimmten Lernens und Übens, praktischen Tuns und lehrerzentrierten Einheiten. Lehrerinnen und Lehrer müssen komplexe Sachstrukturen auflösen und in jene 'Häppchen' aufteilen, die sich die Heranwachsenden Schritt für Schritt aneignen können. Während einige Schüler/-innen mit ihrer Fähigkeit des sinnerfassenden Lesens bereits mit wenigen gezielten Fragen sich Sachverhalte erschließen können, benötigen andere die Hilfe und Erklärungen ihrer Lehrkraft. Dabei geht es auch um die persönliche Bewertung, um Erziehung zur Selbstkritik und um das Aushalten von Kritik an der eigenen Arbeit. Dies alles geschieht in einer Atmosphäre gegenseitiger Annahme und im Vertrauen auf die Wahrhaftigkeit des Erziehers.

Verfahren der Beobachtung, der Beschreibung, der Begriffsbildung und des Problemlösens gehören zur allgemeinen Bildung der Schüler/-innen aller Bildungsgänge. Weil aber vielen

Hauptschülern dieses systematische Vorgehen eher schwer zugänglich ist, muss es ihnen in der Schule eröffnet werden. *Schülerorientierung* im Hauptschulbildungsgang beachtet diese Voraussetzungen und versucht zunächst, die Lernkompetenz zu fördern. Das Lernen wird selbst zum Unterrichtsgegenstand und Lerntagebücher helfen bei der Selbstbewertung des eigenen Lernfortschritts. In die systematische Erarbeitung des Stoffes werden immer wieder Lernspiele und Übungsphasen einbezogen. Individualisierte – zusätzliche – Berichtzeugnisse an manchen Schulen sollen Verständnis und Transparenz der Leistungsbewertung vermitteln.

Epochenunterricht, fachübergreifender Unterricht und ein gemäßigtes Klassenlehrerprinzip sind weitere Kennzeichen eines schülerorientierten Unterrichts in Hauptschulklassen. Sie fußen auf der Erfahrung, dass durch personengebundene Rituale der Erziehungseffekt bedeutend gesteigert und ferner durch das Aufzeigen von Zusammenhängen die Lernwirkung vergrößert werden kann. Fachübergreifendes Arbeiten in Teams zu mehreren Lehrerinnen und Lehrern setzt enge Abstimmung und permanenten Kontakt voraus, was bei der üblichen Unterrichtsverpflichtung der Hauptschullehrer/innen nur mit großem Engagement und unter Einbezug des Privatlebens zu erreichen ist. Dennoch sind Ansätze dazu an vielen Schulen zu beobachten; eine konsequente Umsetzung gelingt jedoch nur in wenigen Kollegien, obwohl die Tendenz steigend ist. Weit verbreitet ist inzwischen das Klassenleitertandem, d. h. zwei Lehrkräfte leiten gemeinsam eine Hauptschulklasse und unterrichten eine großen Anzahl der Fächer. Solche Lehrerteams bilden häufig den Kristallisationskern für größere Teams, die eng miteinander kooperieren. Die Schüler/-innen erhalten einerseits personale Kontinuität und haben doch andererseits zwei verschiedene Individuen als Ansprechpartner zur Verfügung.

Schlüsselqualifikationen anbahnen

Nicht weil Hauptschülerinnen und Hauptschüler einseitig praktisch begabt sind – wie ein Vorurteil noch immer glaubt –, sondern weil sowohl das von Pestalozzi überlieferte Lernen mit Kopf, Herz und Hand als auch die neueste Lernforschung dem in praktischer Tätigkeit erworbenen Wissen die größte Bedeutung beimessen, stehen handlungsorientierte Lerneinheiten im Zentrum des Hauptschulbildungsgangs. Die Herstellung von Außenanlagen auf dem Schulgelände erscheint dann zwar besonders spektakulär, wenn Maurer- und Zimmererarbeiten nach Plan erledigt werden, doch auch die arbeitsteilige Produktion von Speisen für die Frühstückspause oder den Mittagstisch erfordert einige Kenntnisse der Zubereitungstechniken und Prinzipien der gesunden Ernährung. Beim künstlerischen Einüben in der Gruppe für das nächste Schulfest oder Gestalten des Klassenraumes und der Schulflure, dem Erkunden von Betriebsabläufen und Erforschen der Heimatgeschichte ist sachgerechtes Handeln ebenso erforderlich wie gegenseitige Rücksichtnahme und Hilfestellung. Stark zugenommen haben handlungsorientierte Einheiten mit ökologischen Schwerpunkten. Vom Bienenhaus über das 'Insektenhotel' bis zur Solaranlage reicht die Palette der Lernanlässe in der Natur. Allen Projekten ist gemein, dass sie sowohl fachliche Anforderungen stellen als auch soziale Interaktion ermöglichen und so den Erwerb wichtiger Schlüsselqualifikationen unterstützen.

Deutlich wird dies an den vielen Betriebsgründungsprojekten, die reich sind an fachübergreifenden und handlungsorientierten Fragestellungen. Von der Abwicklung der Bewerbungsverfahren für die Mitarbeiter bis hin zur Kalkulation, dem Erstellen eines Geschäftsberichts und zur Durchführung von Gesellschafterversammlungen reicht die Themenliste. Über die Vermittlung betriebswirtschaftlicher Kenntnisse hinaus wird das Verantwortungs- und Qualitätsbewusstsein der Schülerinnen und Schüler gestärkt. Von ihnen wird Eigeninitiative verlangt, was sich positiv auf ihre Selbstbestimmungsfähigkeit auswirkt. Die Hauptschüler/-innen erhalten vielfältige Möglichkeiten ihre Interessen einzubringen, ihre Fähigkeiten zu ergründen und spezifische Kenntnisse zu erwerben. Zugleich dienen diese Maßnahmen der Differenzierung, wenn bezüglich der auftretenden Probleme mangelnde Fertigkeiten erkannt und gegenwirkende Übungsprogramme eingesetzt werden.

Auch wenn der Fachunterricht in Mathematik und der Fremdsprache, in einigen Schulen auch Deutsch, auf zwei Niveaus erfolgt, kann die Selbstbestimmungsfähigkeit durch Phasen der Freiarbeit hier ebenfalls gefördert und eine weitgehende Individualisierung erreicht werden. Diese Arbeitsweise wird zunehmend unterstützt durch den Einsatz von Lernsoftware und Standardprogrammpaketen auf modernen Rechneranlagen. Die PC-Ausstattung verfolgt zugleich diese beiden Ziele: erstens – wie bereits beschrieben – eine stärkere Individualisierung des Lernprozesses und damit Verbesserung der Lernmotivation und der Lernergebnisse sowie zweitens den Umgang mit dem Medium an sich in Privatleben und Beruf. Letzteres ist der bestimmende Antrieb der Lehrer/-innen, die ihren zukünftigen Absolventen einen sicheren Platz in der Informationsgesellschaft ermöglichen wollen. Die überkommende Berufseinteilung, die den Hauptschulabschluss als Tor einzig zu Berufen in der technischen Produktion sowie des Handwerks ansah, galt mit der wachsenden Bedeutung des Tertiären Sektors nicht mehr.

Der Wandel von der Dienstleistungs- zur Informationsgesellschaft muss daher von den Schulen 'vorausvollzogen' werden. Zwangsläufig muss der Umgang mit Multimedia und Internet einen immer größeren Raum im Hauptschulbildungsgang einnehmen, gelangen Bildbearbeitungsprogramme zum Einsatz, werden virtuelle Schülerzeitungen ins Internet gestellt und Stadtbezirke vorgestellt sowie kleinen ortsansässigen Unternehmen der Zugang zum 'world-wide-web' ermöglicht. Die

Einsatzgebiete sind ebenso vielfältig wie die in der aktuellen öffentlichen Diskussion behandelten Themen.

Verzögernd auf die Anwendung und Evaluation wirkt sich der Mangel an Fachpersonal im Hauptschulbildungsgang aus. Informatik gehört nicht in den hauptschulspezifischen Fächerkanon und wird demzufolge nicht unterrichtet. Dass sich dennoch ein differenziertes Unterrichtsangebot bundesweit entwickelt, zeugt von der großen Fort- und Weiterbildungsbereitschaft der dort tätigen Lehrkräfte. Deren Forderung, die Pflege von Netzwerken an Pflichtschulen über geschultes Personal der Schulträger abzuwickeln, kann aus dieser Sicht nur unterstützt werden. Die Entwicklung zu vernetzten Schulen wurde eingeleitet; sie befindet sich erst im Anfang.

Ausbildungsfähigkeit fördern – Lebenshilfe geben

Die Abschlussphase des Hauptschulbildungsgangs unterliegt einem komplexen Bedingungsfeld, welches durch diese drei Faktorenbündel charakterisiert wird:

- „Die physische Reifung verändert die körperliche und seelische Selbsterfahrung der jungen Menschen, ihre Verhaltensweisen, Empfindungen und Motive, ihre Wahrnehmung und Bewertung der Umwelt sowie die Art und Weise, wie sie sich aufgrund des jetzt vergleichsweise raschen und tiefgreifenden Wandels der Austauschprozesse zwischen sich und den Familienangehörigen, Freunden, Lehrer/-innen, Altersgenossen und anderen Personen um die Ausgestaltung sowohl ihrer individuellen Einzigartigkeit als auch ihrer sozialen Normalität, also eines attraktiven Bildes bei den anderen bemühen.
- Familie, Schule und Gesellschaft üben eine Art sozialen Druck aus, indem sie den jungen Menschen mit zunehmender Verbindlichkeit ihre Erwartungen im Hinblick auf Interesse, Bereitschaft und Engagement bei der Gestaltung der nachschulischen Lebensphase signalisieren: Ablösung von

der Familie, Wahl eines berufsbezogenen Ausbildungsweges, Qualifizierung für die Erwerbsarbeit, gesellschaftliche und wirtschaftliche Eigenständigkeit, Selbstverantwortung und soziale Zuverlässigkeit.

- Schließlich haben Unterricht und Erziehung zu berücksichtigen, dass innerhalb dieser allgemeinen psycho-physischen und sozialen Bedingungen jede Schülerin und jeder Schüler in den Übergangsprozessen ganz persönliche Motive beachtet und Zielsetzungen verfolgt.“ [10]

Innerhalb dieser allgemeinen sich wechselseitig beeinflussenden Bedingungsfelder für die Übergangsprozesse aller Jugendlichen ist zusätzlich zu beachten, dass viele Jugendliche im Hauptschulbildungsgang unter lebensgeschichtlichen und gesellschaftlichen Einflüssen stehen, die die Möglichkeiten zur aktiven Mitgestaltung der Übergänge einschränken und belasten. Die zeit- und schülergerechte Umsetzung der vorgegebenen Inhalte und Bildungsziele erfordert daher im Hauptschulbildungsgang ein hohes Maß an Flexibilität und Differenzierung schulischer Arbeit.

Stärkung der personalen Grundlagen

Gerade weil in der heutigen Zeit Sucht verursachende und Gesundheit gefährdende Mittel und Lebensweisen den Jugendlichen unproblematisch zugänglich sind, hat Schule in Ergänzung der familiären Erziehungsprozesse und – für eine nicht unerhebliche Zahl Heranwachsender – als deren Ersatz jene personalen Faktoren zu bestärken, die den jungen Menschen schützen und zugleich seine soziale Leistungsfähigkeit erhalten. Schulen mit Hauptschulbildungsgang thematisieren daher in vielfältiger Weise im Fachunterricht oder in fachunabhängigen Projekten Lebenskreise, den Umgang mit Kritik und zielen auf Selbstwirksamkeit.

[10] Zenke, Karl G.: Einführung zu Kapitel 3 in Handbuch Hauptschulbildungsgang, Band 2, a. a. O., S. 262f.

Geschlechtsspezifische Suchtprophylaxe ist integriert in Unterrichtsreihen, bei denen die regelmäßige Koedukation aufgehoben wird. Schwerpunkt der Arbeit in Jungengruppen ist dabei mit Blick auf bestehende Zukunftsunsicherheiten die Suche nach der eigenen männlichen Identität, vor allem in Gebieten mit hoher Arbeitslosigkeit, in denen die Väter in Folge eigener Identitätskrisen nicht als Vorbilder dienen können und der junge Erwachsene keine berufliche Perspektive sieht. Interaktionsspiele zur Erfahrung der eigenen Person, Reflexionen von Geschlechterrollen wechseln in diesen Einheiten mit Überlegungen zu Partnerschaft und Berufstätigkeit. Parallel dazu reflektieren die Mädchengruppen über ihr Rollenverhalten und mögliche Berufsperspektiven vor allem in Technik-, Handwerk- und Medienbranchen. Häufig zentrieren sich die Themen und Methoden auf Selbstbehauptung und den Schutz vor männlicher Gewalt.

Die Stärkung sozialer Kompetenzen in Konfliktsituationen beabsichtigen die vielen Streitschlichtermodelle. Sie beginnen in der Regel bereits während der Eingangsphase mit Programmen zur Ich-Stärkung und zu Verfahren regelgestützter sozialer Umgangsformen. Während der Abschlussphase des Hauptschulbildungsgangs erfolgt die Ausbildung von Streitschlichtern, deren eigenverantwortliche Tätigkeit einen Teil der Auseinandersetzungen innerhalb der Schülerschaft ausgleichen kann. Für diese freiwillige 'Schiedsmann/-frau-Funktion' kommen erfahrungsgemäß nur wenige Schüler/-innen in Frage. Voraussetzung ist die Akzeptanz der Mediation innerhalb der Schulgemeinde, das Vorhandensein eines entsprechenden Schulethos sowie betreuende Lehrkräfte. Die schweren Gewalttaten erfordern nach wie vor professionelle Klärung und werden durch derartige Maßnahmen auch nicht verhindert.

Zunehmend wird Schule zum Ort der Sozialarbeit, indem sie Einfluss auf das Freizeitverhalten ihrer Schülerinnen und Schüler nehmen muss. Eine mögliche Form der Schulsozialarbeit ist die schülerverwaltete Cafeteria. Ihr Aufbau wird oft über den Arbeitslehreunterricht vorbereitet, ihr laufender Betrieb von Arbeitsgemeinschaften oder Schülerfirmen gesichert. An der einen oder anderen Schule sorgen auch Teams aus der Elternschaft für die Funktion des Kommunikationsraumes. Das Kinder- und Jugendhilfegesetz (KJHG) erlaubt den Jugendämtern die Kooperation mit diesen Schülertreffs. Auf diese Weise können Freizeitangebote im Anschluss an den Unterricht organisiert werden. Senioren in ehrenamtlicher Funktion oder Honorarkräfte erhalten am Nachmittag differenzierte Kursangebote in den Schulräumen.

Berufsorientierung

Traditionell bezieht sich der didaktische Schwerpunkt der Abschlussphase auf den Übergang in eine Berufsausbildung bzw. die berufsperspektivische Fortsetzung der schulischen Laufbahn. Unterrichtsthemen, Gespräche mit der Klasse und Elternabende dienen der Klärung der individuellen Zukunftsentscheidung. Betriebserkundungen werden aus den Fächern heraus vorbereitet und durchgeführt. Intensivere Einblicke in die Arbeitswelt und die Möglichkeit zur Erprobung der eigenen Fähigkeiten bieten die zwei- oder dreiwöchigen Schülerbetriebspraktika. Ergänzt wird dieses Standardprogramm um intensive Lernortkooperationen mit Betrieben an einigen Schulstandorten. Hier findet ein Teil des Unterrichts regelmäßig in einer Werkstatt statt. Solche Werkstatttage werden über einen kürzeren Zeitraum bis hin zum Jahrespraktikum organisiert, d.h. im Abschlussjahr besuchen die Schüler/-innen an einem festen Wochentag über ein ganzes Schuljahr hinweg ein Unternehmen. Die Erfahrungen aus dieser Tätigkeit werden dann im Fachunterricht aufgegriffen und führen somit zu einer weitgehenden Individualisierung des Unterrichts der Abschlussklasse.

In Kooperation mit dem Arbeitsamt wird dessen Beratung den zukünftigen Absolventen nahegebracht. Bausteine des schulinternen Beratungssystems sind praktische Übungen zu

Bewerbungsschreiben bis hin zum intensiven Bewerbertraining und zur Vorbereitung auf die Eignungstests der Industrie. Auf Eigeninitiative, Teamarbeit und Verantwortungsbewusstsein setzen die vielen Schülerfirmen, die entweder als Unterrichtsprojekt im Fachbereich Arbeitslehre oder als unterrichtsergänzende Arbeitsgemeinschaft im Rahmen der individuellen Förderung immer häufiger gegründet werden. Für Jugendliche, deren Qualifikationsniveau für eine Berufsausbildung unmittelbar im Anschluss an die Pflichtschule unzureichend ist, werden vielerorts alternative Förderlehrgänge erprobt.

Erwerb von Alltagskompetenzen

Wie bereits im Zusammenhang mit der Förderung sozialer Kompetenzen ausgeführt, werden Schulen zunehmend Erziehungsaufgaben übertragen, die ursprünglich der Familie vorbehalten waren. Hierzu gehört neben der Prävention gegen Gewalt und Sucht die Vorbereitung auf ein selbstverantwortetes Leben. Die Planung einer eigenen Wohnung, aber vor allem der Umgang mit den zur Verfügung stehenden Mitteln werden u. a. im Mathematikunterricht behandelt. Fragen der Finanzplanung bilden den Kern einer Unterrichtseinheit, die sich auch mit Ratenverträgen befassen muss.

Liebe und Sexualität sind weitere Schwerpunkte zum Erwerb einer eigenen Position in einer wertepluralen Gesellschaft. In dem die Heranwachsenden mögliche Einstellungen kennenlernen, entwickeln sie eine persönliche Lebenshaltung. Selbstverständlich darf in diesem Zusammenhang die notwendige Aufklärung zum Schutz vor AIDS nicht fehlen. Bei diesen Themen gilt wiederum die einschränkende Wirkung der erziehenden Schule, die zwar alle gesellschaftlich relevanten Fragestellungen ansprechen, jedoch letztlich keine vollständige Entlastung der elterlichen Erziehungsverpflichtung bewirken kann.[11]

[11] Vgl.: Ipfling, Heinz-Jürgen: Erziehung in der Hauptschule. In: Handbuch Hauptschulbildungsgang, Band 1, a. a. O., S. 154f.

Über die Zukunft der Hauptschulbildung

Eine gründliche Revision unseres Schulwesens wird auch in den kommenden Jahrzehnten keine politische Mehrheit erhalten. Gerade im Zuge europäischer Vereinheitlichung müssten Deutschland und Österreich auf ihr gegliedertes Schulwesen verzichten und differenzierte Einheitsschulsysteme einrichten, was aufgrund der besonderen geschichtlichen Erfahrung beider Länder nicht durchsetzbar und daher mit der Formel der kulturellen Eigenständigkeiten der Regionen von der Agenda Europas genommen bleibt. Der Kulturföderalismus der deutschen Länder steht einer bundeseinheitlichen Organisation der Schulen ebenfalls entgegen, so dass der Kompromiss von Hamburg 1964 und dessen Fixierung im Einigungsvertrag dem deutschsprachigen Raum einen *Hauptschulbildungsgang* in variabler Form – als Hauptschule, kooperativ oder integrativ in einem Sekundarschulsystem – bewahren wird. Dieser wird entgegen seines Namens nicht die Mehrheit der Kinder eines Jahrgangs bilden und erziehen, sondern je nach den regionalen Gegebenheiten lediglich für um zehn Prozent der Gleichaltrigen die Bildungsbiografie bestimmen.

Der zweite den Hauptschulbildungsgang begründende Aspekt ist die Konservierung der Schulpflicht. Eine Aufhebung derselben und die Begründung anderer Formen von Allokation und Selektion wird derzeit nicht diskutiert, daher muss es einen schulischen Sekundarbereich geben, der dieser Aufgabe verpflichtet ist. Sein bestimmendes Merkmal ist einerseits die Vermittlung grundlegender Kenntnisse und Fähigkeiten, Kompetenzen und Qualifikationen, die für selbstbestimmte Partizipation an den gesellschaftlichen Prozessen in Beruf, Freizeit und Politik notwendig sind, und andererseits die Schaffung jener Grundlagen, die für eine Fortsetzung der schulischen Laufbahn in der Sekundarstufe II Voraussetzung sind. Ob diese Doppelaufgabe besser in kooperativen oder integrativen oder eigenständigen Systemen erfolgen soll, dafür wird hier keine Empfehlung gegeben, weil die notwendigen Erkenntnisse unerforscht geblieben sind, vielmehr wird auf ausgewählte pädagogische Entwicklungen verwiesen.

Aus den vorstehenden Ausführungen ergeben sich drei Fokussierungen der pädagogischen Arbeit:

- Erweiterung der Halbtagsschule
- Disziplinierung und Fürsorge
- Übergang ins Erwerbsleben oder in weitere schulische Ausbildung.

Erweiterung der Halbtagsschule

Mit dem Schwinden der gesellschaftlichen Akzeptanz des Hauptschulbildungsgangs wird der Karrierestart darin zunehmend zum persönlichkeits- und familienbelastenden Entwicklungsprozess. Dies gilt in besonderer Weise für die Schulformwechsler, für die es der dritte und häufig der vierte Schulanfang ist. Eine Einschränkung des Elternwillens wird politisch nicht durchsetzbar sein, daher muss das Bildungswesen mit fehlgelenkten Schülerinnen und Schülern in großer Zahl auch zukünftig leben. Verhindert werden muss dagegen der hohe Anteil von rd. 70.000 Jugendlichen, die Jahr für Jahr ohne Schulabschluss und Zukunftsaussichten zum Spielball des Arbeitsmarktes werden. Die Sozialisationskraft des Berufes auch jenen 'Schulversagern' zu ermöglichen ist nicht nur eine Aufgabe der Schule, sondern der Gesellschaft schlechthin.

Diese Kinder müssen frühzeitig in den Hauptschulbildungsgang wechseln. Es kann nicht sein, dass Gymnasium oder Realschule sich an Schüler/-innen klammern, die den täglichen Anforderungen nicht gewachsen sind, und diese nach Vollendung der Schulpflicht ohne Abschluss entlassen. Hier handelt es sich um pädagogische 'Kunstfehler', die zumindest öffentlich gerügt werden müssen. Eine Chance für lernschwache und lernbeeinträchtigte Schülerinnen und Schüler kann die Option des Hauptschulbildungsgangs sein, daher muss bereits vor der ersten Jahrgangswiederholung in die Evaluation des

Bildungsprozesses eine Hauptschulfachkraft hinzugezogen werden.

Und da die Familien häufig entweder über mangelnde Bildungsaspiration verfügen oder in schulischen Fragen hoffnungslos überfordert sind, muss der Schule verstärkt ein kompensatorischer Auftrag zugebilligt werden, um gezielt die Voraussetzungen für ein erfolgreiches Lernen zu begründen. Hierzu gehört innerhalb der Schule ein differenziertes, auf die individuellen Bedingungen der Jungen und Mädchen zugeschnittenes Schul- und Unterrichtsleben sowie ein begleitendes Beratungssystem. Dies setzt die Verstärkung der psychologischen Ausbildungselemente im Lehrerberuf voraus, entsprechende Rahmenbedingungen und die Vernetzung mit entsprechenden Beratungsstellen und Diensten.

Zu diesem Erziehungsauftrag gehört auch der Ausbau eines freizeit- und sozialpädagogischen Angebots über den Unterrichtsvormittag hinaus, wie es bereits an vielen Schulen existiert. Damit soll – wohlgemerkt – nicht der Einheitsform Ganztagsschule das Wort geredet werden, da deren Organisationsform weder zeitlich noch von den Bedingungen her den Anforderungen gerecht wird, statt dessen sollten vielfältige, den örtlichen Bedingungen angepasste Vernetzungsarten mit staatlichen und freien Trägern der Jugendhilfe gefördert werden.

Disziplinierung und Fürsorge

Das institutionelle Handeln der Schule baut auf Regeln und deren Einhaltung auf. Unterricht kann seine bildende Kraft dann in besonderem Maße entfalten, wenn diese Regeln eingehalten werden. Das verlangt von allen Teilnehmern am schulischen Leben ein hohes Maß an *Disziplin*. Im Gegensatz zu weiten Bereichen gesellschaftlichen Lebens, in denen Disziplin selbstverständlich eingefordert wird, ist die Akzeptanz im Schulbereich nicht vorhanden und wird bei Regelverstößen nach ‘pädagogischem Einwirken‘ gefragt. Die Grenzen zwischen Selbstbestimmung und Gehorsam sind fließend, nur auf Einsicht in Argumente für Regelwerke zu bauen, behindert die schulische Arbeit und kostet Zeit, die dem Wissenserwerb nicht zur Verfügung steht.

„Die Inhalte der Disziplin verlangen keine Einsicht, sondern Befolgung. Es ist ja geradezu der Sinn der Disziplin, eine jedesmalige Argumentation unnötig zu machen. Wir setzen eine Ampel an die Straßenkreuzung und sanktionieren die Übertretung. Aber wir stellen keinen Verkehrsexperten an die Kreuzung, der mit den ankommenden Verkehrsteilnehmern diskutiert, ob sie anhalten oder nicht." [12] Dennoch muss Disziplin, wo immer man sie einfordert, argumentativ einholbar sein. Wenn Selbstbestimmung möglich ist, muss Schule sie gewähren, und wo das Regelsystem begründet werden kann, muss Schule diese Begründungen transparent machen. Schule wird in dem Maße bessere Ergebnisse bringen, in dem dort Sanktionen für Regelübertritte vereinheitlicht und gesellschaftlich akzeptiert werden.

Die Sanktionen müssen so gestaltet sein, dass sie nicht nur vom Heranwachsenden verstanden werden, sondern auch seine Eltern in diesen Erziehungsprozess stark einbinden. Unter Rückgriff auf das Verkehrsrecht, in dem sich finanzielle Einbußen als wirksam herausgestellt haben, könnten Eltern die besonderen Disziplinierungsleistungen der Schule in Rechnung gestellt werden. Dies würde auch den Zusammenhang zwischen häuslicher und schulischer Erziehung wiederbeleben.

Disziplinierung ist vor allem ein Akt der Fürsorge, die dort eingreift, wo der Lernende sich selbst oder der Gemeinschaft Schaden zufügen kann. „Fürsorge ist Pflege. Sie bewahrt, was noch nicht zur Disposition gestellt werden kann. Sie macht

---

[12] Ladenthin, Volker: Theorie der Schulorganisation. In: Sekundarschulbildung im Informationszeitalter, Tagungsbericht des 2. Bundeskongresses nichtgymnasialer Bildungsgänge, hrsg. v. Arbeitskreis Hauptschule e.V., Düsseldorf 1997, S. 67.

wieder gut, was verletzt ist. Sie entlastet, wo die Komplexität einer Aufgabe zur Belastung und Behinderung wird, von Teilen dieser Aufgabe. Damit ermöglicht die Fürsorge eine Freisetzung, die ohne die Fürsorge nicht möglich wäre, aber durch die Fürsorge nicht schon erreicht wird. Durch Fürsorge wird der Lerner frei, sich der eigentlichen Aufgabe zuzuwenden: zu lernen. Fürsorge ist dort notwendig, wo die Umstände noch nicht so sind, dass gelernt werden kann. Sie schafft überhaupt erst einmal die Umstände dafür, dass gelernt werden kann.“ [13]

Fürsorge und Disziplin sind Bedingungen für erfolgreiches Lernen, die beide ihre Grenzen in der Selbstbestimmungsfähigkeit des Heranwachsenden haben. Ihr Ziel muss es sein, sich selbst überflüssig zu machen. Das Problem besteht darin, in der öffentlichen Akzeptanz der erzieherischen Tätigkeit in der Schule jene Balance zu finden, die demokratische Mündigkeit ermöglicht und vor blindem Gehorsam bewahrt.

Übergang ins Erwerbsleben und in weitere schulische Ausbildung

Für viele Jugendliche ist die berufliche Ausbildung im Dualen System nicht mehr die traditionelle Fortsetzung ihrer Lernbiografie. Für manche ist dies aufgrund ihrer erreichten schulischen Qualifikationen auch nicht möglich, es fehlt an ‘passenden‘ Ausbildungsplätzen in den Regionen. Zwei einander ergänzende Vorschläge werden hier gemacht: Schule muss einerseits die Perspektive der Erwerbsarbeit ohne Ausbildung in ihre didaktischen Auswahlkriterien einbeziehen und andererseits müssen die Tarifpartner Erwerbsmöglichkeiten unterhalb der jetzigen Ausbildungsberufsbilder schaffen.[14] Dieser Vorschlag korrespondiert mit der anerkannten Forderung,

---

[13] ebenda, S. 65.

[14] Vgl.: Hiller, Gotthilf G.: Ausbildung für alle? – Ein Plädoyer für ein alternatives Zugangskonzept zu (Aus-)Bildung und Erwerbsarbeit für Jugendliche ohne Schulerfolg. In: Handbuch Hauptschulbildungsgang, Band 1: Grundlegung, a. a. O., S. 120–134.

Sackgassen der Entwicklung junger Menschen auf keiner Ebene zuzulassen.

Der Hauptschulbildungsgang ist jene schulische Einrichtung, die Schülerinnen und Schüler mit unterschiedlichem Bildungsstand aufnimmt und – dies ist so lapidar wie es klingt – wieder entlässt. Diese Heterogenität ist überwiegend bestimmt durch die Lebensunterschiede der Heranwachsenden und kann zwar teilweise ausgeglichen, niemals jedoch aufgehoben werden. Aus der Pflichtschule treten daher sowohl junge Menschen mit verminderten Qualifikationen aus als auch solche mit hohen, denen weitere schulische Bildungswege nicht versperrt sein dürfen.

Daraus resultiert, dass die Übergangsphase aus dem Hauptschulbildungsgang individualisiert und vielgestaltig sein muss. Für den einen oder die andere ist es besser, die letzten Schulmonate bereits in einer Werkstatt zu verbringen als auf der Schulbank. Andere sollten ein- oder zweimal in der Woche ein ganzes Jahr hindurch im Betrieb arbeiten und in der übrigen Zeit betriebsnahe Aufgabenstellungen im Sinne einer vorbereitenden Berufsausbildung erhalten. Wieder andere bedürfen verschiedener praktischer Phasen in unterschiedlichen Unternehmen, um wegweisende Entscheidungen treffen zu können. Und nicht zuletzt wird es immer junge Menschen geben, die einer Vielzahl schulischer Stützmaßnahmen bedürfen, um bestehende Defizite aufzuarbeiten oder sich auf den nächsten Bildungsgang vorzubereiten.

Die Organisation der Abschlussphase des Hauptschulbildungsgangs an den individuellen Bedürfnissen und Lebenslagen der Jugendlichen in ihm auszurichten bedeutet einen entscheidenden Paradigmenwechsel in der Schulpolitik. Die Bildung des einzelnen Menschen zum Maßstab der Schule zu machen, wie es im Gesundheitswesen das individuelle Wohlbefinden und in der Religion das unverwechselbare Seelenheil sind, davon sind wir heute noch weit entfernt. Die Praxis im Hauptschulbildungsgang in Deutschland hat sich diesem Prinzip jedoch bereits angenähert, so dass die politische Sanktionierung letztlich eine Frage des Geldes bleibt.[15]

Literatur

BRONDER, DIETMAR J. u. a. (Hrsg.): Handbuch Hauptschulbildungsgang, Band 1: Grundlegung, Bad Heilbrunn 1998.

BRONDER, DIETMAR J. u. a. (Hrsg.): Handbuch Hauptschulbildungsgang, Band 2: Praxisberichte, Bad Heilbrunn 1999.

REKUS, JÜRGEN u. a.: Die Hauptschule: Alltag, Reform, Geschichte, Theorie. Weinheim; München 1998.

SCHUMANN, WOLFGANG (Hrsg.): In der Hauptschule unterrichten: didaktische und pädagogische Aspekte der Hauptschule, Bad Heilbrunn/OBB. 1996.

[15] Vgl.: Bronder, Dietmar J.: Der freiberufliche Lehrer in der Informationsgesellschaft. Opladen, 2000.

HORST WOLLENWEBER

Zur Weiterentwicklung der Realschule

Fächerkanon und Inhalte neu akzentuieren

Die *Realschule* findet nach wie vor in breiten Bevölkerungskreisen große Anerkennung und hohe Akzeptanz. Bei der Bewältigung der künftigen Aufgaben kann sie auf ihr inhaltliches Konzept zurückgreifen:

- Die Realschule übernahm im allgemein bildenden Schulwesen hinsichtlich der Berücksichtigung der Naturwissenschaften sowie von Wissen, das in unserer Zeit den Sozialwissenschaften zugeordnet wird, eine Vorreiterrolle. Bedeutsamer noch als diese Vorreiterrolle ist die Tatsache, dass es ihr im Laufe der Entwicklung gelungen ist, realistisch-pragmatische und humanistisch-zweckfreie Bildung in ihrem Programm zu integrieren.
- Die Realschule versteht sich seit ihrer Begründung gegenüber Hauptschule und Gymnasium als eine didaktisch anders ausgerichtete Schulform. Ihr Konzept war und ist stark auf – von der Berufswelt bestimmte – Horizonte abgestellt. Die Berufsbezogenheit durchzieht als ein Element das Bildungsverständnis der Realschule von den Anfängen bis zur Gegenwart.
- Das reale und human orientierte Bildungskonzept der Realschule berücksichtigt Anforderungen, die sich u. a. aus der technologischen Entwicklung – z. B. im Bereich der Datenverarbeitung und der neuen Medien – ergeben. Es bezieht Themen und Inhalte der Informations- und Kommunikationstechnologien in den Fächerkanon mit ein.
- Zum Bildungsauftrag der Realschule gehört es aber auch, ihren Schülerinnen und Schülern den Zugang zu kulturellen

Traditionen zu erschließen und sie zur kulturellen und gesellschaftlichen Mitgestaltung zu befähigen.

- In den Wahlpflichtbereichen gelangt insbesondere das realistische Bildungsanliegen und Selbstverständnis der Realschule zum Ausdruck. Sie orientieren sich zum einen an unterschiedlich ausgeprägten Eignungen und Neigungen der Schülerinnen und Schüler, zum anderen werden in den Inhalten der Neigungsschwerpunkte die Bezüge zu den von den Realschulabsolventen/-innen hauptsächlich angestrebten Berufsfeldern deutlich.

Wirtschaftliche und technische Bildung in der Realschule stärken

Ein zentrales didaktisches Anliegen der Gründung von Realschulen bestand darin, die „mathematisch-ökonomisch-technische" Sachwelt für die „Bildung" zu erschließen. Es ist hier nicht der Ort, der Frage nachzugehen, aus welchen Gründen und zu Gunsten welcher inhaltlicher Bereiche wirtschaftliche und technische Inhalte im Laufe der Realschulgeschichte zurückgeschnitten worden sind. Die Realschule hat allen Grund, sich auf ihre Tradition zu besinnen und in einer Zeit, in der die Lebenssituationen aller in herausragender Weise durch Wirtschaft und Technik geprägt sind, ihren Schülerinnen und Schülern eine zeitgemäße und fundierte wirtschaftliche und technische Bildung im Pflichtunterricht zu vermitteln und ihnen die Möglichkeit zu eröffnen, sich im Rahmen des Wahlpflichtunterrichts mit Themen und Inhalten der genannten Bereiche vertieft auseinanderzusetzen.

Wirtschaftliche Bildung als Teil des allgemein bildenden Konzepts der Realschule muss systematisch grundlegende Kenntnisse über wirtschaftliche Zusammenhänge vermitteln und den jungen Menschen befähigen, wirtschaftlich bestimmte Lebenssituationen selbstbestimmt und verantwortungsbewusst zu bewältigen. Die Ausbildung wirtschaftlicher Urteils- und Handlungsfähigkeit erfordert eine intensive Auseinandersetzung mit Bildungsinhalten, die für die Bewältigung gegenwärtiger und künftiger Alltagsprobleme unabdingbar sind. Die Erarbeitung der Themen hat mit spezifischen Methoden der wirtschaftlichen Bildung vertraut zu machen und Einsichten in grundlegende Strukturen wirtschaftlichen Handelns zu vermitteln. Junge Menschen brauchen eine solide Wissens- und Könnensbasis, wenn sie Probleme und Zielkonflikte durchschauen sollen, damit sie nicht anfällig werden für sog. Patentlösungen, die allesamt eine Tendenz zur Polarisierung in sich tragen. Fehlende Kenntnisse über die wirtschaftliche Wirklichkeit führen zu emotionalen Meinungen, Vorurteilen und letztlich zu Fehlentscheidungen.

Fachliche Kenntnisse und Fähigkeiten sind als Basis unverzichtbar, die junge Menschen als „Wirtschaftsbürgerinnen und Wirtschaftsbürger“ für selbstbestimmtes und verantwortliches Handeln benötigen. Schüler sollen verstehen lernen, warum und wie gewirtschaftet wird und wie Wirtschaftssysteme funktionieren. Sie sollen Einsicht in die Zusammenhänge von Wirtschaft, Politik und Gesellschaft gewinnen und befähigt werden, in Zusammenhängen zu denken, sich selbständig mit wirtschaftlichen Fragen zu beschäftigen und sich kritisch mit unterschiedlichen Positionen auseinander zu setzen.

Im Wahlpflichtunterricht sind inhaltliche Erweiterungen notwendig, die u. a. die Globalisierung wirtschaftlichen Handelns mit ihren vielfältigen Aspekten betreffen und Raum für wirtschafts- und sozialpolitische Themen (z. B. Folgen der demographischen Entwicklung und die Auswirkung auf Arbeitsmarkt, Sozialsysteme etc.) sowie für Themen aus dem Bereich des Arbeitsrechts lassen. Die Gestaltung der Wirtschafts- und Sozialordnung, aber auch das Verhalten des Einzelnen am Wirtschaftsgeschehen erfordert Entscheidungen, die einer normativen Begründung unterliegen. Die Befähigung zur Werturteils- und Entscheidungsfähigkeit erfordert für den Pflichtunterricht und verstärkt für den Wahlpflichtbereich die Auseinandersetzung mit der Werturteilsbildung. Die Arbeit im Wahlpflichtunterricht hat über die inhaltliche Erweiterung ihre Schwerpunkte in der stärker theoriegeleiteten Durchdringung und wechselseitigen Verknüpfung der Sachverhalte sowie in der Aneignung und Beherrschung differenzierter fachspezifischer Methoden.

In der Vermittlung von Einsichten in die Berufs- und Arbeitswelt gehört als ein Veränderungsprozess auch der abnehmende Stellenwert beruflicher Erwerbstätigkeit als zentrales, die Gesellschaftsstruktur und das menschliche Selbstverständnis prägende Element. Als Bestimmungsfaktor für diesen Vorgang abnehmender „Zentralität" von Erwerbsarbeit und Beruf wird auf Verschiedenes verwiesen. Die einen argumentieren, dass es die – infolge abnehmender Arbeitszeit – sich immer stärker entfaltende Freizeit sei, welche das Interesse aus der Arbeitswelt herausführt. Andere sehen als Ursache des veränderten Stellenwerts der Berufsarbeit die Tatsache, dass in immer mehr Familien Männer und Frauen erwerbstätig sind. Daraus entsteht die Notwendigkeit, dass sich beide auf Erwerbstätigkeit und andere Arbeitsfelder – z.B. auf Verpflichtungen im Rahmen der Familie – konzentrieren müssen. Schließlich wird darauf verwiesen, dass ein immer späterer Eintritt in das Berufsleben und ein früheres Ausscheiden daraus es geradezu als notwendig erscheinen lassen, das zentrale Lebensverständnis nicht mehr allein oder vorwiegend im Beruf zu suchen. Die relative Abnahme der Lebensbedeutsamkeit der Berufsarbeit und die Zunahme der berufsarbeitsfreien Zeit verlangen, den jungen Menschen verstärkt zu befähigen, in seinem gegenwärtigen und künftigen Leben mit seiner „Freizeit" human umzugehen. Freizeit des heute verfügbaren Ausmaßes erzwingt Selbstbestimmung zu produktiver Tätigkeit. Die Aufgabe der Schule, die Schüler zur Berufs- und Arbeitswelt hinzuführen, bedarf dringend der Ergänzung dergestalt, dass der Heranwachsende lernt, in der von Berufsarbeit freien Zeit mit sich und seiner Umwelt human umzugehen. Er ist zu befähigen, diese Zeit zum Nachdenken, zur Muße und zur Lebensplanung anzuwenden. Das schließt z.B. ein, ihn anzuleiten, mitmenschliche Kontakte zu kultivieren, zu lernen, Be- und Entlastung richtig auszugleichen und sich der Natur neu anzunähern. Dazu gehört aber auch, ihn anzuregen, vernünftige Abwechslung in seine Freizeitinteressen und -tätigkeiten zu bringen und freiwillig soziale Dienste zu übernehmen.

Das zuvor für die wirtschaftliche Bildung in der Realschule Gesagte gilt grundsätzlich auch für den Bereich Technik. Die Geschichte der Realschule ist reich an Belegen dafür, dass technische Bildung vor allem in den frühen Phasen ihrer Entwicklung ein wesentlicher Bestandteil der Lehrpläne und ein wichtiger Aspekt des Selbstverständnisses dieser Schulform war. In den Auseinandersetzungen mit dem neuhumanistischen Bildungsverständnis war es für die Realschulvertreter schwer, die wirtschaftlich-technischen Bereiche als allgemein bildend anerkannt zu finden. Für die Entwicklung der Realschule nach 1945 waren die konstruktive Rückbesinnung und didaktische Kontinuität im Sinne der Vermittlung einer zeitgemäßen realistischen Bildung leitend. Weil der Wirklichkeitsbezug für das Konzept der Realschule von Bedeutung ist, mussten die durch technischen Wandel wesentlich bestimmten Lebenssituationen in der didaktisch-curricularen Gestaltung dieser Schulform einen angemessenen Platz haben. Die Realschule ist heute nachhaltig gefordert, ihren Schülerinnen und Schülern technische Strukturen und Prozesse erfahrbar zu machen und sie zu befähigen, sich sachbezogen mit der Technik auseinanderzusetzen und das Beziehungsgefüge von Technik, Wirtschaft und Gesellschaft zu durchschauen. Der pädagogische Auftrag einer solchen allgemeinen technischen Bildung besteht darin, den Schülerinnen und Schülern systematisch Erfahrungen, Einsichten und Handlungsvollzüge in der Auseinandersetzung ihrer durch Technik geprägten Lebenswirklichkeit zu ermöglichen, um auf der Basis so erworbener Kenntnisse, Fähigkeiten und Fertigkeiten ein kritisches und konstruktives Verhältnis zur Technik zu entwickeln. Die Zukunft gestalten meint vor dem aufgezeigten Hintergrund, gegenüber der Position einer technischen Determiniertheit von Politik und Gesellschaft die Bedingungen und Möglichkeiten einer sozial- und umweltverträglichen Förderung und Gestaltung von Technik ins Zentrum der Auseinandersetzung zu rücken. Das setzt ein kritisch abwägendes Verhältnis zur Technik voraus, das die gegenwärtige und zukünftige Integrität des Menschen und den Schutz und Erhalt des Planeten Erde als leitende Perspektiven einbezieht. Es geht nicht um eine kategorische Bejahung oder Verneinung der Technik, um Technikakzeptanz oder Technikresistenz, sondern um eine differenzierte und rationale Bestimmung von Maßnahmen einer umwelt- und sozialverträglichen Fortentwicklung unserer technisch geprägten Welt.

Fremdsprachenunterricht unter europäischer Perspektive akzentuieren

Angesichts des politischen und wirtschaftlichen Integrationsprozesses in Europa erwachsen neue Anforderungen an die Realschule und die Art und Weise, wie sie Fremdsprachenkenntnisse vermittelt. In einem zusammenwachsenden Europa besteht für junge Menschen die Notwendigkeit, über eine Fremdsprache zu verfügen, die sie im Umgang mit anderen, aber auch in beruflichen Zusammenhängen annähernd so sicher beherrschen wie ihre Muttersprache.

Der Unterricht hat sich an lebensweltlichen Anwendungsfeldern zu orientieren. Stärker als bisher sollte die Fremdsprache als Mittel zur Erschließung von Sach- und Arbeitsfeldern gesehen werden. Schülerinnen und Schüler der Realschule müssen Erfahrungen sammeln im Lesen authentischer Texte, im informations-entnehmenden Lesen größerer Textteile und im Einüben von Lesetechniken. Ein Unterricht, der die sprachlichen Anforderungen in einem zusammenwachsenden Europa einlösen will, darf auf die Förderung des Übersetzens und

Dolmetschens nicht verzichten. Eine Orientierung an den Bedingungen und Anforderungen nachschulischer Tätigkeitsfelder kann mit Gewinn für die jungen Menschen dann gelingen, wenn der Fremdsprachenunterricht an die jeweiligen Schwerpunktbereiche der Schülerinnen und Schüler angebunden wird.

Besondere Förderung und Ausweitung bedarf der seit etwa zehn Jahren z. B. in Baden-Württemberg, Nordrhein-Westfalen und Rheinland-Pfalz erprobte bilinguale Unterricht an der Realschule. Die zukunftsorientierte allgemeine Bildung dieser Schulform verlangt, auch im Blick auf den Fremdsprachenunterricht ihren Beitrag zum Leben in und zur Identifikation mit der Europäischen Union zu leisten. Nur wenn die einen die Sprache des anderen verstehen – Sprache als Ausdruck der Verständigung und der Kultur – kann ein Zusammenleben in der Europäischen Union der Zukunft gelingen. Es ist ein zentrales Ziel des bilingualen Unterrichts der Realschule, Schülerinnen und Schüler zu befähigen, sich nach der Schulzeit über Sachverhalte und Probleme der Lebenswelt im Allgemeinen und der Berufswelt im Besonderen in einer oder mehreren Fremdsprachen zu verständigen. Der Unterricht in ausgewählten Sachfächern (z. B. Erdkunde, Geschichte, Politik, Biologie, Kunst) in der jeweiligen Zielsprache (z. B. Englisch, Französisch, Niederländisch) ist ein geeigneter Weg, interkulturelles Lernen zu fördern, Anschlussfähigkeit zu sichern und die beruflichen Chancen für Realschulabsolventinnen und Realschulabsolventen zu stärken. Unter den für die Realschule wichtigen Aspekten des Anwendungs- und Berufsbezuges kommt der Nutzung der Möglichkeiten in grenzüberschreitenden Räumen für die Gestaltung des bilingualen Unterrichts besondere Bedeutung zu.

Zum sachgerechten Umgang mit den neuen Informationstechnologien befähigen

Die Informatisierung der Gesellschaft ist kein kurzfristiger Trend. Es steht außer Frage, dass die Realschule in zureichender Weise auf die sich abzeichnenden Auswirkungen der Informationstechnik reagieren muss. Eine zeitgemäße Bildung hat zu einem verantwortlichen und kritischen Umgang mit den neuen Technologien zu befähigen. Es gilt, die jungen Menschen in ihren Bemühungen zu unterstützen, die neuen Technologien zu verstehen, mit ihnen problemgerecht umgehen zu können und sie für ihre Zwecke verantwortungsvoll zu handhaben. Der Computer ist in vielfältiger Weise einsetzbar, sei es als Demonstrationsmedium oder Werkzeug, sei es bei der Unterstützung bzw. Individualisierung begrenzter Lern-, Übungs- oder Trainingsprozesse. Entscheidend ist die kritisch-reflektierte Aneignung informationstechnologischer Grundkenntnisse und Fertigkeiten, die aufgrund einer bildenden Auseinandersetzung der Schülerinnen und Schüler mit dem Computer erfolgt. Sie sollen wissen, was sie tun, wenn sie den Computer einsetzen. Der Computer sollte im Fachunterricht wesentlich mehr genutzt werden; die jungen Menschen können auf diese Weise die vielfältigen Einsatzmöglichkeiten kennenlernen. Der Einsatz von Graphiken und kurzen Filmsequenzen fördert die Veranschaulichung. Links in den Internet-Diensten erlauben das selbständige vernetzte Beschaffen von Informationen.

Zeitgleiche Kommunikation und Austausch von Informationen, insbesondere im Fremdsprachenunterricht, werden ermöglicht. Im Prozess der Berufswahlvorbereitung lassen sich die neuen Medien in umfassender Weise einbeziehen.

Dringend geboten ist eine Modernisierung des Wahlpflichtunterrichts Informatik. Die Bedeutung des Internets ist erst in den letzten Jahren mit seiner massenhaften Verbreitung in das Bewusstsein der Öffentlichkeit gekommen. Niemand, der sich auch nur annähernd mit der Thematik beschäftigt, kann dieses

Medium aus dem Unterricht der Realschule und insbesondere aus dem Fach Informatik heraushalten wollen. So bietet es sich z. B. an, im Zusammenhang mit dem Thema Informations- und Kommunikationstechnologien Inhalte zur Arbeit in und mit dem Internet einzubeziehen: Geschichte des Internets, verschiedene Dienste im Internet, Suchen und Finden im Internet, Emails und Newsgroups. Das Thema Datenschutz gewinnt mit Blick auf das Internet auch für den schulischen Bereich eine ganz neue Dimension: Sicherheit im e-commerce, im Zahlungsverkehr im Internet, der gläserne User im Internet, Datenspuren, Profile einzelnen User im Internet sprechen eindeutig gegen die Vorstellung der Anonymität im weltweiten Datennetz.

Prinzipien des Unterrichts

Jungen Menschen wird in der Realschule ein Unterricht angeboten, bei dem

- der ausgeprägte Bezug zur Wirklichkeit ein entscheidendes didaktisches Prinzip ist, durch das zwischen Wissenschaften und Lebenswirklichkeit vermittelt wird, die Erarbeitung theoretischer Erkenntnisse in Anbindung an praktische Vollzüge und Anwendungsmöglichkeiten in privaten und beruflichen, in gesellschaftlichen und kulturellen Bereichen erfolgt und der Anwendungsbezug ein Kriterium für die Auswahl der Inhalte und Methoden ist,
- Theorie und Praxis miteinander verbunden werden und diese Verbindung im Wechsel von Sache und Wort, von Anschauung und Abstraktion, von Denken und Tun ihre unterrichtsmethodische Entsprechung findet,
- die Arbeit mit und an Modellen ein bevorzugter Weg ist, fachliche Sachverhalte strukturiert zu erfassen und sie auf die zugeordneten Wirklichkeitsbereiche zu übertragen,
- die berufliche Orientierung in einem fortschreitenden Prozess im Pflicht- und Wahlpflichtunterricht erfolgt und unter

Einbeziehung von Betriebserkundungen und Praktika Einblicke in die Wirtschafts- und Arbeitswelt vermittelt und die Berufsfindungsprozesse unterstützt werden,
- die Eigeninitiative, Selbsttätigkeit und Selbständigkeit der Schülerinnen und Schüler gefördert und sie zur Mitgestaltung des Unterrichts ermutigt und befähigt werden.

Diese didaktisch-methodischen Prinzipien der unterrichtlichen Arbeit in der Realschule bieten gute Voraussetzungen, die Veränderungen in Politik, Wirtschaft und Gesellschaft kritisch-konstruktiv anzunehmen und die Realschule als Schule der Zukunft zu gestalten. Dazu ist es jedoch erforderlich, u. a. die Verbindung von Theorie und Praxis, den Anwendungsbezug und das Lernen an Modellen als charakteristische Merkmale der Realschule wieder stärker zur Geltung zu bringen, weil durch die zum Teil einseitige Propagierung der Wissenschaftsorientierung des Unterrichts sowie der Entprofilierung der Schulformen spezifische Arbeitsweisen der Realschule zurückgedrängt worden sind.

Wissenserwerb und Wertorientierung

Die in weiten Bereichen deutliche Steigerung der Wissensmenge, die zunehmend raschere Wissensumsetzung und Entwertung von Anwendungswissen erfordert die Beherrschung von grundlegenden Kenntnissen und Fertigkeiten sowie die Vermittlung von Zusammenhängen.

Die Realschule muss mehr noch als bisher auf die Vermittlung nicht notwendigen und nicht sinnvollen Faktenwissens verzichten und statt dessen ein breites und gut strukturiertes Begriffs- und Verfahrenswissen aufbauen. Sie muss konsequent auf die Vermittlung der Fähigkeit zur Entwicklung und Anwendung von Problemlösungsstrategien setzen und Urteilsfähigkeit und Verantwortungsbereitschaft fördern. Die Realschule ist auch vor dem Hintergrund der TIMS-Studie gut beraten, sich auf ihre Tradition zu besinnen und das Prinzip der

Anwendungsgebundenheit wieder zu einem wesentlichen Gestaltungsmerkmal ihrer Arbeit zu machen. Das heißt zum Beispiel für den Mathematik- und naturwissenschaftlichen Unterricht, bei der Aufgabenstellung, wo immer es möglich ist, von „echten" Situationen und Problemen auszugehen, den unterschiedlichen Wegen der Problemlösung breiten Raum zu geben und damit verstärkt auf Verständnis und weniger auf Routine zu setzen. Mehr als bisher sollte bei der Anordnung der Themen und der unterrichtlichen Erarbeitung darauf geachtet werden, dass das früher Gelernte und der gegenwärtig unterrichtete Inhalt miteinander verknüpft werden und Schülerinnen und Schüler auf diese Weise erfahren, dass bislang Gelerntes zum Verständnis des Neuen benötigt wird.

Es gibt eine Reihe von Gründen dafür, im Unterricht für den Schüler deutlich erfahrbar Lern- und Leistungssituationen zu trennen. In Leistungssituationen demonstriert der Schüler, was er kann. Sein Streben ist bewusst auf Fehlervermeidung ausgerichtet. Für die *Lernsituation* gilt, Neues in entspannter Weise zu erarbeiten und dabei auch im produktiven Umgang mit Fehlern aus ihnen zu lernen. Das setzt jedoch voraus, dass der Schüler die Situation als solche wahrnimmt und ohne drohende Bewertung Fehler begehen und Umwege im Lernprozess einschlagen kann. Den Mitschüler wird er dann auch nicht als „Konkurrenten", sondern als Partner, den Lehrer nicht als „Beurteiler", sondern als den eigenen Lernprozess Unterstützenden erfahren. Es geht nicht um den Abbau von Leistungssituationen, sondern um die für den Schüler deutliche Trennung von Lernen und Leisten.

Ein „erziehender Unterricht", der bewirken möchte, dass der Lernende sich in schrittweise zunehmendem Umfang für die eigenen Lernerfolge und seine „Selbstbildung" verantwortlich weiß, macht es notwendig, Leistungserbringung und Leistungsbeurteilung verstärkt als Diagnose von Lernvorgängen und Lernergebnissen zu verstehen und die Anreizfunktion der Leistung im Sinne der Förderung zu nutzen. Die Rückmeldung individueller Lernfortschritte sollte als Mittel zur Steigerung der Motivation und der Leistung verstärkt genutzt werden. Diese Zielsetzung bedeutet u. a., die Aufgaben für Einzel-, Partner- oder Gruppenarbeit genauer daraufhin zu betrachten, welche Anforderungen sie an die Schüler stellen, welche Aufschlüsselung nach Schritten zur Aufgabenerfüllung sinnvoll ist und wie Ergebnisse präsentiert werden können. Damit wird auch die Aufgabe erleichtert, die Arbeitsprozesse von Schülern besser zu beobachten und diese selbst in die „Analyse“ der Arbeitsprozesse einzubeziehen. Für die Ausführung von Aufgaben kann unter dem Aspekt der Lernprozessbegleitung und Lernprozessauswertung die Abfassung von knappen „Berichten“ sinnvoll sein, die Aussagen über Vorgehensweisen, Abläufe und Ergebnisse enthalten. Auf diesem Wege könnte die Verbindung von „Sache und Wort“ den sprachlichen Verständigungsprozess fördern und Ansätze zur Reflexion eigener Lernprozesse leisten.

Die Gestaltung der Wirtschafts- und Sozialordnung, der Einsatz technischer Erfindungen und die Anwendung naturwissenschaftlicher Ergebnisse sind, wie zuvor erwähnt, nicht wertfrei, sondern bedürfen als Handlungen von Menschen der ethischen Begründung. Die gegenwärtige Diskussion im Kontext der Gentechnologie, Robotik und Nanotechnologie unterstreicht nachdrücklich, dass wertneutrales Sachwissen und methodisches Können – so wichtig sie sind – allein nicht genügen, die jungen Menschen auf ihre persönliche Zukunft und die Zukunft der Gesellschaft vorzubereiten, in der sie leben müssen und an deren Gestaltung sie teilnehmen sollen. Die Forderung nach Wertorientierung eines jeden Fachunterrichts zielt auf die kontinuierliche und umfassende Ausbildung der Werturteilsfähigkeit, ohne die Teilhabe an der gesellschaftlichen Entwicklung in sozialer Verantwortung nicht möglich ist.

Das exemplarische Prinzip

Das exemplarische Prinzip muss in der Realschule wieder in stärkerem Maße Beachtung finden, wobei sich das Exemplarische in den einzelnen Fächern recht unterschiedlich zeigt. Exemplarisch zu arbeiten ist vor allem dort geboten, wo der Unterricht auf die Vermittlung der Denk- und Arbeitsweisen eines Faches ausgerichtet ist. Das *exemplarische Lernen* zielt weiterhin auf die gründliche und möglichst selbsttätige Auseinandersetzung mit einzelnen „Exempeln", an denen Kenntnisse, Einsichten und Einstellungen erworben werden, die verallgemeinerungsfähig sind.

Exemplarisches Lernen erfordert, dass

- der Unterrichtsinhalt eine „Schlüsselposition" für das zu vermittelnde Gebiet besitzt,
- das Unterrichtsvorhaben geeignet ist, formale Lernziele zu erwerben oder anzuwenden, die für das Fach wesentlich sind,
- anhand der ausgewählten „Exempel" der junge Mensch zu übergreifenden Einsichten gelangen kann,
- durch Auswahl und Bearbeitung des Beispiels eine dauerhafte Motivation erzielt wird.

Exemplarisch erarbeitete Kenntnisse, Erkenntnisse und Methoden helfen, die Welt aufzuschlüsseln, auch durch Eigenaktivität der Lernenden. Gründliche exemplarische Konzentration findet durch das „orientierende Lernen" eine Ergänzung. „Orientierendes Lernen" gibt den erforderlichen Überblick über ein Fachgebiet und eine Zusammenschau seiner Inhalte und seiner Fragestellungen.

Lernen an Modellen

Ein Realschulunterricht, der die Möglichkeiten des exemplarischen Lernens nutzt und auf Modelldenken angelegte Verfahren durchgängig anwendet, ist besonders geeignet, die Vorstellungswelt der jungen Menschen zu ordnen und Zugänge zum Verständnis der Welt effektiv zu gestalten. Das operative Prinzip des Modell-Lernens korrespondiert mit dem exemplarischen Prinzip der Stoffökonomie.

Die Anwendung von Modellen unterschiedlicher Art ist ein Charakteristikum der Realschule und bestens geeignet, dass sie ihre spezifischen Bildungsziele erreichen kann. Das auf Modelldenken angelegte Verstehen zeichnet sich dadurch aus, dass

- didaktisch-methodisch zwischen Theorie und Praxis vermittelt wird und die formalen geistigen Operationen immer wieder zur gegenständlichen Welt zurückführen. Vermittlungsprozesse erfolgen also nicht nur auf der Basis der Fachsystematik, sondern auch ausgeprägt unter dem Aspekt der Erfassung und Erfahrung vielschichtiger Anwendungszusammenhänge. Der Vorzug des Lernens an Modellen besteht darin, das Wissen in günstiger Weise zu strukturieren, Beziehungen zwischen einzelnen Sachverhalten leichter zu erkennen und wechselseitige Abhängigkeiten genau zu erfassen.
- beim Schüler / bei der Schülerin die Fähigkeit zum Transfer gefördert, geistige Beweglichkeit und Problemlösungsverhalten unterstützt werden. Das Denken in Modellen kann einen entscheidenden Beitrag zur Entwicklung der Fähigkeit leisten, komplexe Zusammenhänge auf überschaubare und durchschaubare Strukturen zu reduzieren.
- der Schüler bzw. die Schülerin herausgefordert und sein Denken angestoßen wird. Die Arbeit mit Modellen unterstützt in besonderer Weise die Eigentätigkeit der Schüler(innen) und fördert kreatives Denken.

Ausblick

Die gelungene Verbindung von Tradition und Fortschritt ist ein wesentlicher Grund für die breite Anerkennung, die die

Realschule in ihrer Geschichte erfahren hat; sie bestimmt auch das Konzept der Realschule für das dritte Jahrtausend. Fortschritte sind nur als bewahrende Fortführung vernünftiger Traditionen möglich. Vernünftige Traditionen bewahren oft schwer erreichte und stets gefährdete Fortschritte. Die Realschule wird die Schule der Zukunft sein, wenn es ihr auch weiterhin gelingt, die Wahrung der Kontinuität mit der Aufgeschlossenheit für notwendige inhaltliche und didaktisch-methodische Veränderungen zu verbinden. Ein überzeugendes Konzept bedarf zur Realisierung einer motivierten und professionalisierten Lehrerschaft. Die Diskussion über die „Green-Card-Initiative" hat auch die Nachwuchsprobleme für den Schulbereich ins öffentliche Bewusstsein gebracht. Es sind vorrangig die „MINT"-Fächer,[1] für die Bewerber(innen) fehlen, aber auch in anderen Bereichen gibt es einen deutlichen Bewerbermangel. Das zukunftsfähige Konzept der Realschule ist darauf angewiesen, dass die politisch Verantwortlichen eine nachhaltige Nachwuchsförderung und Einstellungspolitik betreiben. Ohne ausreichend verfügbare und gut qualifizierte Lehrerinnen und Lehrer ist eine im skizzierten Sinne „gute" Schule nicht zu gestalten. Gute, das heißt nachhaltige Schulpolitik wird deshalb an der Reform der Lehrerausbildung, den Maßnahmen zur Förderung des Lehrernachwuchses und der Sicherung des Unterrichts gemessen werden.

[1] Mathematik, Informatik, Naturwissenschaften, Technik

HANS-WERNER FUCHS

Reform der gymnasialen Oberstufe

Die Entwicklung des Gymnasiums und mit ihm die seiner drei oberen Klassen – der Oberstufe – ist geprägt durch das Spannungsverhältnis von Bewahrung und Veränderung. Während strukturelle Elemente – der Bestand des Gymnasiums als eigenständiger Schulart, die Dauer der Bildungsgänge, die Abschlüsse als Befähigungs- und Berechtigungsnachweise – die Zeitläufe wenig oder unverändert überdauerten, war die innere und insbesondere die inhaltliche Ausgestaltung der gymnasialen Bildungsgänge bereits im 19., vielmehr aber noch im 20. Jahrhundert Gegenstand bisweilen heftiger Kontroversen. Reformen der gymnasialen Oberstufe waren und sind Element der Reform des Schulwesens als der Bemühung, institutionalisierte Bildung fortlaufend an sich ändernde äußere Rahmenbedingungen – gesellschaftliche, ökonomische, technologische – anzupassen. Exponentiell wachsende Wissensbestände erforderten und erfordern, die inhaltlichen Grundlagen gymnasialer Bildung einer ständigen Revision zu unterziehen. Reformen der gymnasialen Oberstufe waren stets aber auch durch das Bemühen gekennzeichnet, wesentliche, zeitüberdauernde Grundbestände des Wissens und Könnens zu fixieren, die den Kerngehalt dessen enthalten sollten, was nach den jeweiligen Vorstellungen als „Bildung“ material definiert werden konnte. Ein weiteres Ziel der Oberstufenreformen war und ist die Sicherung der Studierfähigkeit; an ihr richtet sich in besonderer Weise die Arbeit in der gymnasialen Oberstufe aus. Insofern waren Reformen der gymnasialen Oberstufe in einem doppelten Sinne immer auch Reformen „von oben“. Insbesondere die Hauptabnehmer gymnasial qualifizierter Schülerinnen und Schüler – die Hochschulen –

vermochten und vermögen es bis heute, auf die Diskussion und die Richtung der Reform gymnasialer Oberstufenbildung maßgeblich Einfluss zu nehmen.

In der Rückschau erweisen sich die Vereinbarung der Kultusministerkonferenz (KMK) vom Juli 1972 und der auf dieser basierende Umbau der gymnasialen Oberstufe als Dreh- und Angelpunkte der Nachkriegsentwicklung.[1] Gleichwohl gab es bereits in den 1950er- und 1960er-Jahren Diskussionen und erste Veränderungen in der strukturellen und inhaltlichen Gestalt der gymnasialen Oberstufe. Doch erst die Kombination aus ökonomischer Prosperität, einer starken Nachfrage nach gymnasialen Qualifikationen und einer politisch-gesellschaftlichen Aufbruchstimmung, wie sie in den 1960er-Jahren zusammentrafen, schaffte die nötigen äußeren Rahmenbedingungen, die eine so weitreichende Reform der gymnasialen Oberstufe, wie sie mit der Ländervereinbarung des Jahres 1972 initiiert wurde, auch einer Mehrheit der Öffentlichkeit akzeptierbar erscheinen ließ. Eine Beruhigung der öffentlichen Diskussion, wie sie sich die KMK nach Verabschiedung der Vereinbarung erhoffte, trat indes nicht ein. Infolge fortdauernder Kritik wurden seither Elemente der Reform sukzessive zurückgenommen; restringierende Regelungen traten an ihre Stelle. Der zentrale Gegenstand der Reform, das *Kurswahlsystem*, blieb dabei jedoch unangetastet. Im Kontrast zu der relativ geschlossenen Organisation der Mittelstufe stellt sich die gymnasiale Oberstufe heute als komplexes Gefüge von Fächern, Kursen und sonstigen Strukturelementen auf unterschiedlichen Lern- und Leistungsniveaus dar; die abschließende Abiturprüfung bildet nur noch ein Element bei der Beurteilung der „Reife". Ob weitergehende Reformen der gymnasialen Oberstufe in eine allgemeine Reform des

[1] Die nachfolgenden Ausführungen beschränken sich räumlich und zeitlich auf die gymnasiale Oberstufe in den Westzonen bzw. der Bundesrepublik Deutschland seit 1945. Die Entwicklung der zur Hochschulreife führenden Bildungsgänge in der DDR wäre an anderer Stelle zu untersuchen.

Gymnasiums oder gar des gesamten Sekundarschulwesens eingebettet sein werden, in welcher Richtung sich die gymnasiale Oberstufe weiterentwickeln wird und inwieweit auch eine breite Öffentlichkeit für weitergehende Reformen gewonnen werden kann, wird sich erweisen müssen. Mittelfristig dürften sich Veränderungen in dem Rahmen bewegen, der durch die Vereinbarung des Jahres 1972 im Kern vorgegeben ist.

Die Nachkriegszeit: Wiederaufbau und erste Reformschritte

Als nach dem Ende des nationalsozialistischen Deutschen Reiches der Schulbetrieb im Herbst 1945 wieder langsam in Gang kann, wurden in allen Ländern und Territorien auch Gymnasien wieder eröffnet. Die Rücknahme der von den Nationalsozialisten verfügten Kürzung des gymnasialen Bildungsganges um ein Jahr zählte zu den ersten schulpolitischen Forderungen, die nach und nach realisiert wurden. Mit Ausnahme der Länder, die zunächst eine sechsjährige Grundschule einführten[2], umfasste wenige Jahre nach Kriegsende der gymnasiale Bildungsgang wieder neun Jahre. Soweit sich die Alliierten bemühten, auf die äußere und innere Gestaltung der gymnasialen Bildungsgänge Einfluss zu nehmen, hatten deren Maßnahmen zumeist nur kurzfristig Bestand.

Bereits in der zweiten Hälfte der 1940-Jahre zeichnete sich die Tendenz eines verstärkten Zuganges zu den Abiturbildungsgängen ab – eine Entwicklung, die im weiteren für die Reform auch der gymnasialen Oberstufe von Bedeutung sein sollte. Anfang der 1950er-Jahre, nach dem die ärgsten Kriegsschäden

---

2 Dies waren Bremen, Hamburg und Schleswig-Holstein; dieser Schritt wurde jedoch in den 1950-Jahren in allen drei Ländern wieder rückgängig gemacht. In (West- und Ost-) Berlin wurde 1948 zunächst eine achtjährige Grundschule eingeführt, die in West-Berlin im Jahr 1951 auf sechs Jahre reduziert seither beibehalten wurde.

beseitigt waren, verstärkte sich die Diskussion um die weitere Entwicklung des höheren Schulwesens. In der Kritik stand insbesondere der in den höheren Schulen vorherrschende „Enzyklopädismus“, d.h. die Anhäufung von Stoffmassen in einer großen Zahl unverbunden nebeneinander stehender Fächer. Kritiker aus Schule und Hochschule forderten demgegenüber die Möglichkeit zu einer vertieften Befassung mit ausgewählten Bildungsgegenständen. Dies sollte vor allem in der gymnasialen Oberstufe möglich sein, zumal dieser die Aufgabe zugewiesen war, wissenschaftspropädeutisch zu wirken, d.h. inhaltlich, insbesondere aber methodisch in die an Hochschulen üblichen Lern- und Arbeitsformen einzuführen. Weitere Kritik, z.B. seitens des 1953 ins Leben gerufenen Deutschen Ausschusses für das Erziehungs- und Bildungswesen, zielte auf die gesellschaftliche Dimension von Schule. Der Ausschuss beklagte, dass die politisch Verantwortlichen den gesellschaftlichen Veränderungen der vergangenen fünfzig Jahre bislang noch nicht durch entsprechende Reformen im Schulwesen Rechnung getragen hätten. Ein starker, die gymnasiale Oberstufe berührender Reformdruck resultierte auch aus der öffentlichen Diskussion, die Anfang der 1950er-Jahre durch Schlagworte wie „Schulchaos“ und „Typenwirrwarr“ geprägt war. Vor allem diese Kritik ließ die Ministerpräsidenten im Jahr 1954 der KMK den Auftrag erteilen, über Vereinheitlichungen im Schulwesen der Länder zu verhandeln, die insbesondere auf einen Abbau der gymnasialen Typenvielfalt gerichtet waren. Die ebenso notwendigen strukturellen und inhaltlichen Veränderungen in der gymnasialen Oberstufe traten demgegenüber zunächst zurück. Die von der KMK daraufhin entworfene Vereinbarung wurde – mit einigen Änderungen – im Februar 1955 von den Ministerpräsidenten der Länder als „Düsseldorfer Abkommen“ beschlossen. Die vielfältigen Typen höherer Schulen wurden nun nur noch als „Gymnasium“ bezeichnet und konnten Zusätze erhalten, die ihre inhaltliche Ausprägung bezeichneten (altsprachlich, neusprachlich, mathematisch-naturwissenschaftlich, musisch).

Das Düsseldorfer Abkommen beschränkte sich auf Bestimmungen zur äußeren Struktur der Gymnasien; die inhaltliche und methodische Gestaltung der Arbeit in der gymnasialen Oberstufe wurde nicht berührt (vgl. FURCK, 1998, S. 307ff.). Diesbezüglich von größerer Bedeutung war die – öffentlich allerdings wenig wahrgenommene – KMK-Vereinbarung über die gegenseitige Anerkennung der Reifezeugnisse, die im Mai 1954 nach langen Verhandlungen geschlossen worden war und eine bis dahin gültige Vereinbarung aus dem Jahr 1931 abgelöst hatte. In diesem Dokument waren nicht nur die Bedingungen für den Erwerb der Hochschulreife fixiert; es enthielt zugleich normierende Bestimmungen für die Gestaltung des Unterrichts in der gymnasialen Oberstufe, so z. B. zu der Frage, welche Fächer im Rahmen einer vorzeitigen Abschlussprüfung („Stufenabitur") abgeschlossen werden durften. Sofern Länder jedoch von der Stufenabitur-Regelung Gebrauch machen wollten, stießen sie auf den Widerstand sowohl der Philologenverbände als auch einer Öffentlichkeit, die zu dieser Zeit in Bildungsfragen überwiegend konservativ orientiert war. Überdies war das Stufenabitur zwischen den Ländern selbst umstritten. Soweit es in den 1950er-Jahren bereits Bemühungen um eine vorsichtige Auflockerung des Oberstufenunterrichts gab, stießen die Initiatoren auch auf administrativen Widerstand, wie er sich z. B. in der restriktiven Schulversuchsregelung des Düsseldorfer Abkommens manifestierte. Zudem äußerte sich die bildungspolitisch interessierte Öffentlichkeit durchweg ablehnend, wenn Reformansätze den Eindruck erweckten, der Weg zur Hochschulreife könnte erleichtert werden.

Den ersten Schritt in Richtung einer – aus heutiger Sicht wiederum vorsichtigen – Reform des gymnasialen Oberstufenunterrichts vollzog die KMK mit der „Saarbrücker Rahmenvereinbarung" vom September 1960. Nun sollten die Zahl der Unterrichtsgebiete beschränkt, Lehrstoffe ausgewählt und thematische Schwerpunkte gesetzt werden können. Darüber hinaus wurden die Umwandlung von Pflichtfächern in Wahlpflichtfächer und die Einrichtung freiwilliger Arbeitsgemeinschaften möglich (vgl. RAHMENVEREINBARUNG, 1960, S. 1; TENORTH, 1975, S. 134ff.; DERBOLAV, 1983, S. 216f.). Als Kernpflichtfächer in der Oberstufe wurden Deutsch, Mathematik und zwei Fremdsprachen bzw., an mathematisch-naturwissenschaftlichen Gymnasien, eine Fremdsprache und Physik festgelegt. Daneben traten weitere Fächer mit geringerem Stundenansatz. Die den Lernenden eingeräumte bescheidene Möglichkeit, lediglich ein Fach selbst als Wahlpflichtfach selbst bestimmen zu können, belegte die geringe Reichweite des Reformschrittes. Proteste löste die Vereinbarung vor allem aber dadurch aus, dass den naturwissenschaftlichen Fächern nach wie vor eine nur schwache Stellung im Fächerkanon zugewiesen war. Dies war ein Ausdruck der Dominanz Flitnerschen Denkens in jener Phase. WILHELM FLITNER hatte mit dem „Tutzinger Maturitätskatalog" im Jahr 1958 die aus seiner Sicht grundlegenden Inhaltsbereiche der Maturität als Mindestforderungen zur Sicherung der Studierfähigkeit vorformuliert. Im Maturitätskatalog kam der untergeordnete Bildungswert zum Ausdruck, den Flitner den Naturwissenschaften im Vergleich z.B. zu den Sprachen zumaß. Da sich die KMK bei Entscheidungen über gymnasialspezifische Fragen regelmäßig mit der Westdeutschen Rektorenkonferenz (WRK) abstimmte, deren Schulausschuss Flitner vorsaß, vermochte dieser auf die Entscheidungsfindung der Gremien erheblichen Einfluss zu nehmen (vgl. DERBOLAV, 1983, S. 217; HERRLITZ, 1982, S. 105f.).

Nicht nur Vertreter naturwissenschaftlicher Disziplinen an Hochschulen reagierten kritisch auf die Vereinbarung, sondern auch die der Wirtschaft, die angesichts einer sich günstig entwickelnden ökonomischen Situation fürchteten, nicht angemessen vorgebildeten Nachwuchs zu erhalten. Gleichwohl bildete die „Saarbrücker Rahmenvereinbarung" zusammen mit ergänzenden didaktischen Empfehlungen zur Arbeit in der gymnasialen Oberstufe („Stuttgarter Empfehlungen“) vom September 1961 die normative Basis für die Oberstufenarbeit in den 1960er-Jahren.

Die Neufassung des Düsseldorfer Abkommens im „Hamburger Abkommen“ vom Oktober 1964 führte zu Verbesserungen insoweit, als die restriktive Bestimmung über die Genehmigung von Schulversuchen gelockert wurde. In der zweiten Hälfte der 1960er-Jahre nahmen verschiedene Länder, unter ihnen Bayern, Rheinland-Pfalz, Hessen und Niedersachsen, Versuche mit neustrukturierten Formen der gymnasialen Oberstufe auf. Gemeinsam war diesen die inhaltliche Differenzierung der Unterrichtsangebote, eine vorsichtige Lockerung der Klassenverbände zugunsten einer Kursstruktur und die stärkere Individualisierung der Fächerwahl (vgl. EDELSTEIN (Hrsg.), 1961; SCHMIDT, 1994, S. 49ff.).

Die Oberstufenreform des Jahres 1972

Mitte der 1960er-Jahre setzte eine Entwicklung ein, in der sich politisch-gesellschaftliche und makroökonomisch motivierte Kritik (exemplarisch vgl. DAHRENDORF, 1965; PICHT, 1964) mit der in Fachkreisen thematisierten Unzufriedenheit an dem inneren Zustand des bestehenden höheren Schulwesens zu mischen begann. Die Wirtschaft fragte in erhöhtem Umfang akademisch qualifizierte Arbeitskräfte nach; zugleich zeichnete sich ein erheblicher Lehrkräftemangel ab. Die zu geringe Reichweite bisheriger Reformschritte stand ebenso in der Kritik wie die noch immer bestehende Dominanz geisteswissenschaftlicher und sprachlicher Unterrichtsgegenstände im gymnasialen Fächerkanon. Schulpolitische Themen erfreuten sich zudem eines wachsenden öffentlichen Interesses; auch dies erhöhte den Handlungsdruck auf die bildungspolitisch Verantwortlichen. Hinzu kam eine Ende der 1960er-Jahre bei Lernenden wie Lehrenden konstatierte „Motivationskrise“ (SCHMIDT, 1994, S. 54). Die bislang unternommenen Reformschritte waren insgesamt zu zaghaft geblieben, um den mit Blick sowohl auf Expansion als auch auf Modernisierung gymnasialer Bildung gerichteten Erwartungen zu genügen. 1969 nahm die KMK schließlich die Arbeiten an einer umfassenden Oberstufenreform auf. Ausgehend von der Zielrichtung der bisherigen Reformschritte – Auflockerung des Oberstufenunterrichts durch Pflicht-, Wahlpflicht- und Wahlfächer, Stoffreduzierung zugunsten vertiefter Befassung mit exemplarischen Stoffen, Anwendung wissenschaftspropädeutischer Arbeitsmethoden – und den ersten Erfahrungen mit den laufenden Schulversuchen sollte es nun darum gehen, die bislang nur ansatzweise erreichten Ziele mit Wirkung für alle Länder und Schulen zu realisieren. In dem nun folgenden dreijährigen Diskussionsprozess, in den alle relevanten Akteure von den Hochschulen (WRK) bis hin zu den Kirchen einbezogen wurden, waren es wiederum die Hochschulvertreter, die auf die Reformdiskussion und deren Ergebnisse nachhaltig Einfluss zu nehmen vermochten. So hatten Vertreter der WRK bereits im Januar 1969 bei Verhandlungen mit der KMK vorgeschlagen, die in der Oberstufe zu unterrichtenden Fächer in drei Aufgabenbereiche – einen sprachlich-literarischen, einen mathematisch-naturwissenschaftlichen und einen gesellschaftlich-historischen – aufzugliedern (vgl. SCHEUERL, 1969, S. 31 ff.). In der am 7. Juli 1972 verabschiedeten „Vereinbarung zur Neugestaltung der gymnasialen Oberstufe in der Sekundarstufe II“ (vgl. VEREINBARUNG, 1972) finden sich diese Aufgabenfelder nahezu wortgleich zur Kennzeichnung des Pflichtbereiches wieder (vgl. VEREINBARUNG, 1972, S. 7, S. 14). Neben den Forderungen der WRK, die in 1969 neu formulierten „Kriterien der Hochschulreife“ niedergelegt waren (vgl. SCHEUERL, 1969), fanden Hinweise des Deutschen Bildungsrates, z. B. zur Aufgliederung der Oberstufe in Pflicht- und Wahlbereich bzw. in Grund- und Leistungskurse, Eingang in die Neukonzeption. Weitere Anregungen wurden Gutachten des Deutschen Ausschusses für das Erziehungs- und Bildungswesens entnommen, so u. a. zu Inhalten und

Arbeitsformen in den Klassenstufen 12 und 13 (vgl. KÄSTNER, 1978, S. 501 ff.; DERBOLAV, 1983, S. 219). In der Rückschau kommt FURCK zu dem Schluss, die Oberstufenvereinbarung sei „einerseits als vorläufiger Endpunkt einer etwa 150jährigen Entwicklung des Bemühens um gymnasiale Bildung anzusehen, andererseits wurde, ohne dass man sich der Konsequenzen bewusst war, ein Bruch mit eben dieser Tradition vollzogen“ (FURCK, 1998, S. 319).

Mit der Neustrukturierung des Unterrichts in der gymnasialen Oberstufe sollte eine für alle Schülerinnen und Schüler vergleichbare Grundqualifikation sichergestellt und diesen zugleich eine Spezialisierung und Vertiefung in selbstgewählten Schwerpunktfächern ermöglicht werden. Die Oberstufe sollte für neue Fächer offen sein, womit die KMK Erwartungen aus Ökonomie und Gesellschaft zu entsprechen hoffte. Zugleich sollte sich die neugestaltete gymnasiale Oberstufe, so betonte die KMK, in den Bereich berufsqualifizierender Bildungsgänge hinein öffnen können; die Vereinbarung erlaube es, eine Kooperation allgemein bildender und berufsqualifizierender Bildungsgänge zu erproben (vgl. VEREINBARUNG, 1972, S. 13). Wenngleich der letztgenannte Aspekt bislang nur ansatzweise realisiert werden konnte, so ging die Vereinbarung insgesamt in ihrer Reichweite über alle bisherigen, eher zaghaften Versuche einer Oberstufenreform weit hinaus. Viele der früheren Reformforderungen konnten jetzt umgesetzt werden. Die Umstrukturierung vom Klassenverband zu einem Kurssystem war ein bedeutender Schritt in Richtung Modernisierung, Flexibilisierung und Differenzierung des gymnasialen Bildungsganges. Die bisherigen Haupt- und Nebenfächer wurden als solche aufgehoben; grundsätzlich konnte nun jedes Fach „Leistungskurs“ oder „Grundkurs“ werden. Mit der prinzipiellen Gleichstellung aller Fächer war eine Forderung erfüllt, die vor allem Vertreter naturwissenschaftlicher Fachrichtungen lange erhoben hatten. Die bisherige Strukturierung nach Gymnasialtypen – altsprachlich, neusprachlich, mathematisch-naturwissenschaftlich – entfiel damit für die Oberstufe. Vormalige Nebenfächer konnten nun auch als Leistungskurse geführt werden; die Folge war eine erhebliche Ausweitung der Stundenzahlen und damit eine Aufwertung dieser Fächer in dem noch immer sprachendominierten gymnasialen Bildungskanon. Die Wochenstundenzahl der als Leistungskurs unterrichteten Fächer wurde gegenüber den vormaligen Kernpflichtfächern erhöht; auf diese Weise sollte eine intensivere, vertiefte Befassung mit ausgewählten Stoffen möglich werden. Dies wiederum kam den Interessen derjenigen Hochschulvertreter entgegen, die sich zukünftig Gymnasialabsolventen mit erhöhtem studienfachrelevanten Vorwissen auch in Studiengängen mit naturwissenschaftlicher Schwerpunktsetzung erhofften. Mit Blick auf die je individuelle Leistung und Neigung verfügten Schülerinnen und Schüler trotz einiger wahlbeschränkender Vorgaben nun über erhebliche, bis dahin unbekannte Freiheitsspielräume hinsichtlich Fächerwahl und Schwerpunktsetzung. Gleichzeitig bot die Reform die Möglichkeit, Mündigkeit und Selbständigkeit als Erziehungsziele zur Geltung kommen zu lassen (vgl. SCHMIDT, 1994, S. 55; KAISER, 1982).

Mit der Vereinbarung zur Neugestaltung der gymnasialen Oberstufe wurde der *Oberstufenunterricht* strukturell, inhaltlich und methodisch grundlegend umgestaltet. Bei durchschnittlich 30 Wochenstunden galt für Pflicht- und Wahlkurse ein Verhältnis von 2 : 1. Schülerinnen und Schüler hatten zwei, in einigen Ländern drei Leistungskurse mit je fünf bis sechs Wochenstunden und eine festgelegte Zahl von Grundkursen mit zwei bis drei Wochenstunden auszuwählen. Die Leistungskurse sollten neben der vertieften Kenntnisvermittlung auch der Einführung in wissenschaftliche Denk- und Arbeitsweisen dienen und damit einen wesentlichen Beitrag zur Sicherung – aus Sicht der Hochschulvertreter zur Herstellung – der Studierfähigkeit leisten. Der Wahlbereich war thematisch breit gefächert; neben den bestehenden nannte die Vereinbarung neue Fächer in den Bereichen Geistes- und Sozialwissenschaften (z.B. Pädagogik, Psychologie, Soziologie, Philosophie, Recht), Naturwissenschaften und Technik (Statistik, Geologie, EDV) und anderen (vgl. VEREINBARUNG, 1972, S. 15). Neu war zudem die veränderte Leistungsfeststellung. An die Stelle des bisherigen Verfahrens trat ein komplexes „Credit-Point"-System, dessen Basis die Umwandlung der bisherigen Noten in ein von 0 bis 15 gestuftes Punktesystem bildete. Die in den Jahrgangsstufen 12 und 13 in ausgewählten Grund- und Leistungskursen erzielten Leistungen wurden mit zwei Dritteln der maximal erreichbaren Punktezahl in die Endbeurteilung eingebunden. Nur noch ein Drittel der Gesamt-Punktezahl wurde in der vier Teilprüfungen umfassenden Abiturprüfung ermittelt. Um der unterschiedlichen Wertigkeit von Grund- und Leistungskursen sowie der Abiturprüfung selbst gerecht zu werden, wurden die jeweils erreichten Leistungen mit Faktoren unterschiedlicher Höhe gewichtet (vgl. VEREINBARUNG, 1972, S. 17ff.).

Die Weiterentwicklung der reformierten gymnasialen Oberstufe

Vergleichbar den „Stuttgarter Empfehlungen" der KMK als notwendiger Ergänzung zu der „Saarbrücker Rahmenvereinbarung" waren im Anschluss an die Vereinbarung des Jahres 1972 Hinweise für die methodische und didaktische Gestaltung der Arbeit in der gymnasialen Oberstufe zu erarbeiten. Dies war umso notwendiger, als sich die Lehrkräfte auf vielfältige Veränderungen ihrer Arbeit einzustellen hatten. Da nun die klassische Aufteilung in Haupt- und Nebenfächer aufgehoben und alle Fächer formal gleichgestellt waren, konnten bislang mit zwei Wochenstunden unterrichtete Fächer den Rang sechsstündiger Leistungskurse erhalten. Dies bedeutete, dass die Unterrichtsstoffe in Breite und Tiefe wesentlich intensiver als bislang zu bearbeiten waren. Hinzu kam die Vorgabe, wissenschaftspropädeutisch zu arbeiten, d. h. in die Verfahren der Erkenntnisgewinnung und die Denk- und Arbeitsmethoden der mit den Fächern korrespondierenden Wissenschaftsdisziplinen einzuführen (vgl. SCHMIDT, 1994, S. 75). Die umfangreichen „Empfehlungen zur Arbeit in der gymnasialen Oberstufe“, die die KMK nach langen und kontroversen Diskussionen im Dezember 1977 erließ (vgl. EMPFEHLUNGEN, 1977), bildeten damit gleichsam das zweite Standbein der reformierten Oberstufe, zumal die Vereinbarung selbst im Wesentlichen auf unterrichtsstrukturelle und organisatorische Vorgaben beschränkt war. Selbständiges Lernen, wissenschaftspropädeutisches Arbeiten und Persönlichkeitsbildung wurden als allgemeine Ziele der Arbeit in der gymnasialen Oberstufe genannt (vgl. EMPFEHLUNGEN, 1977, S. 1). Auch zu didaktischen Prinzipien und zur methodischen Gestaltung der Oberstufenarbeit, die insbesondere zu problembezogenem Denken anleiten soll, fanden sich ausführliche Hinweise. Empfehlungen galten dem Komplex der Wissensvermittlung sowie dem Bereich des sozialen Lernens. Die Lehrkräfte erhielten ausführliche Hinweise zu ihren Aufgaben; neben den klassischen – Lehren und Erziehen – wurden Beurteilen, Beraten, Innovieren und Organisieren genannt (vgl. EMPFEHLUNGEN, 1977, S. 2, S. 23ff.). Mit den Empfehlungen sollte überdies veränderten gesellschaftlichen Erwartungen an die Erziehungsfunktion der Schule entsprochen werden. So sollten nicht nur die allgemeinen gesellschaftsbezogenen Forderungen an schulische Erziehung erfüllt, sondern zugleich unter dem Stichwort „Selbstverwirklichung“ ausdrücklich auch individuelle Bedürfnisse der Lernenden berücksichtigt werden (vgl. EMPFEHLUNGEN, 1977, S. 3). Dass dem Aspekt der *Individualisierung* mit der *Flexibilisierung* der Oberstufe in besonderer Weise Rechnung getragen worden war, fand sich herausgehoben bereits in der Vereinbarung selbst.

Die neustrukturierte gymnasiale Oberstufe sollte zum Schuljahr 1976/77 in allen Ländern eingerichtet sein. Erste, in den Folgejahren gemachte Erfahrungen zeigten, dass die Länder sich die interpretatorischen Spielräume, die die Vereinbarung ließ, zu Nutze zu machen wussten. Die hierdurch entstandene Heterogenität war allerdings nicht gewollt. Zudem verstummte die öffentliche Kritik am Gymnasium und dessen Oberstufe nicht – im Gegenteil: Mit Vehemenz richtete sie sich nun gegen die Wirkungen des neuen Systems. Das Ende des bürgerlichen Gymnasiums wurde beschworen. Ein Vorwurf lautete, die Prinzipien der Individualisierung und Flexibilisierung der Bildungsgänge – eigentlich erwünschte Ziele der Oberstufenreform – führten zu Beliebigkeit bei der Wahl und Kombination der Fächer. Die als notwendig angesehene Sequenzialität und Kontinuität des Bildungsprozesses sei angesichts umfassender Wahl- und Abwahloptionen nicht zu gewährleisten.[3] Nachdem Vertreter der Hochschulen vor der Reform das geringe Maß studienfachbezogenen Vorwissens und fehlende propädeutische Kenntnisse bei Studienanfängern moniert hatten, klagten sie nun, der Umfang fachbezogenen Wissens in allgemein bildenden Fächern ließe deutlich zu wünschen übrig und bedürfe der Stärkung (vgl. FURCK, 1998, S. 321; ROEDER / GRUEHN, 1996, S. 498). Überdies wurde der Verdacht geäußert, Schülerinnen und Schüler nutzten die Wahlmöglichkeiten zu einseitiger Fächerwahl unter dem Gesichtspunkt der „Zensurenoptimierung“, was angesichts des Numerus clausus und allgemein verschärfter Konkurrenz auf dem Arbeitsmarkt allerdings auch nahe läge.[4] Weitere Schlagworte lauteten

[3] „Sequenzialität“ bedeutet, dass die Kontinuität des Bildungsprozesses in Fächern über mehrere aufsteigende Kurse hinweg gewährleistet ist. Besteht in den Klassenstufen 12 und 13 die Möglichkeit der Abwahl, ist dies nicht der Fall (vgl. Derbolav, 1983, S. 220). Aus diesem Grunde reduzierte die KMK in mehreren Schritten die Abwahlmöglichkeiten bestimmter Fächer.

[4] Dies ist zwar prinzipiell möglich, tritt aber als Wahlmotiv hinter persönliche Fachinteressen, Berufsperspektiven und insbesondere die Möglichkeit zur Entfaltung individueller Leistungsstärken zurück (vgl. Roeder / Gruehn, 1996; Roth, 1991, S. 383f).

„sinkende Qualität des Abiturs“ und „mangelnde Studierfähigkeit“; die „Idee“ gymnasialer Bildung sei nicht mehr erkennbar und die bildungstheoretische Fundierung der Oberstufenkonzeption mangelhaft (vgl. FINGERLE / WICKE, 1982; FURCK, 1983; FURCK, 1998, S. 321).

Aufgrund der anhaltend vorgetragenen Kritik – insbesondere seitens der Hochschulvertreter, der Philologenverbände und der Arbeitgeberverbände – sah sich die KMK veranlasst, beginnend mit den „Lübecker Beschlüssen“ vom 2. Juni 1977 Ergänzungsregelungen zu der Oberstufenvereinbarung zu erlassen. Auf diese Weise sollte bei der Gestaltung der Oberstufe die als notwendig angesehene weitgehende Einheitlichkeit zwischen den Ländern gesichert und der genannten Kritik an einem strukturell bedingten Leistungsrückgang der Abiturientinnen und Abiturienten begegnet werden. In der Praxis führten die Ergänzungsregelungen zu einer partiellen Verringerung der in der Oberstufenvereinbarung enthaltenen Spielräume. Stärkere Auswirkungen hatten allerdings die Veränderungen, die die KMK im Jahr 1988 und erneut im Jahr 1995 an der Vereinbarung selbst vornahm. Hintergrund beider Revisionen waren die bereits genannte Kritik an Leistungen und Kenntnisstand der Gymnasialabsolventen und die Uneinheitlichkeit, mit der die Vereinbarung in den Ländern umgesetzt worden war. In der Neufassung vom April 1988 wurde unter anderem festgelegt, dass zwei der drei Fächer Deutsch – Mathematik – Fremdsprache in der Qualifikationsphase durchgängig zu belegen waren. Des Weiteren wurden die Abwahlmöglichkeiten für das Fach Geschichte und für Fächer des naturwissenschaftlichen Bereiches eingeschränkt. Im Abitur durften nun nur noch solche Fächer geprüft werden, für die „Einheitliche Prüfungsanforderungen“ vorlagen (vgl. VEREINBARUNG, 1988, S. 177ff.).[5]

[5] Seit 1975 wurden sukzessive „Einheitliche Prüfungsanforderungen (EPA)“ für diejenigen Fächer erlassen, die Gegenstand der Abiturprüfung sein können. Zurzeit (Stand: 2000) liegen EPA für 38 mögliche Abiturprüfungsfächer vor – unter dem Aspekt der Flexibilisierung des Bildungsganges eine durchaus beachtliche Zahl (vgl. Einheitliche Prüfungsanforderungen in der Abiturprüfung, in: Sammlung, 1982ff., Ordnungs-

Zu einer weiteren Öffnung der Abiturbildung führte hingegen ein weiterer KMK-Beschluss des Jahres 1988, demgemäß die an Fachgymnasien erworbenen Zeugnisse als Nachweise der allgemeinen Hochschulreife anerkannt wurden. Nun konnte auch in Bildungsgängen mit berufsbezogenen Schwerpunkten, soweit diese mit wissenschaftlichen Disziplinen korrespondierten, die allgemeine Hochschulreife erworben werden. Damit waren die z.B. an Wirtschaftsgymnasien oder technischen Gymnasien zu erwerbenden Abschlüsse denen der so genannten „Vollanstalten" gleichgestellt und eine weitere, nicht unerhebliche Verbreiterung des Gegenstandsspektrums gymnasialer Bildung erreicht (vgl. FURCK, 1998, S. 321). Im Gegensatz zur Absolventenzahl allgemein bildender Gymnasien stieg die Zahl der Schülerinnen und Schüler, die die Hochschulreife an fachbezogenen Gymnasien erwarben, in den Folgejahren allerdings nur geringfügig an. Gleiches gilt für Einrichtungen des zweiten Bildungsweges, deren Absolventenzahlen ebenfalls niedrig blieben (vgl. BUNDESMINISTERIUM FÜR BILDUNG UND FORSCHUNG, 2000, S. 83, S. 88).

Im Dezember 1995 schränkte die KMK mit „Richtungsentscheidungen zur Weiterentwicklung der Prinzipien der gymnasialen Oberstufe und des Abiturs" ein weiteres Mal die Wahl- und Abwahlmöglichkeiten in der Qualifikationsphase der gymnasialen Oberstufe und in der Abiturprüfung ein (vgl. RICHTUNGSENTSCHEIDUNGEN, 1995). Die nach langen und kontroversen Diskussionen zustande gekommenen Richtungsentscheidungen basierten wesentlich auf den Empfehlungen einer von der KMK eingesetzten Expertenkommission

---

zahl 196.1 [Agrartechnik mit Biologie] bis 196.38 [Japanisch]. Begründet werden die EPA u.a. durch § 32 (3) Nummer 1. des Hochschulrahmengesetzes (BGBl. I, S. 2190), der neben anderem die Verpflichtung der Länder fixiert, dafür Sorge zu tragen, „dass die Nachweise innerhalb eines Landes und im Verhältnis der Länder untereinander hinsichtlich der jeweiligen Anforderungen und Bewertungen vergleichbar sind" (a.a.O.; vgl. Erklärung, 1977).

(vgl. WEITERENTWICKLUNG, 1995). Die KMK folgte der Kommission in der Bestimmung dreier als grundlegend angesehener Kompetenzbereiche, die Allgemeinbildung und Studierfähigkeit zugleich sichern sollen. Es sind dies die Fächer Deutsch, Mathematik und Fremdsprache.[6] Während die KMK selbst die Fremdsprache nicht spezifizierte, wies der Abschlussbericht der Expertenkommission Englisch als Sprache der Wahl aus (vgl. RICHTUNGSENTSCHEIDUNGEN, 1995, S. 1).[7] Die Kommission hatte darüber hinaus über verschiedene Varianten der *Abiturprüfung* diskutiert. Die Kommissionsmehrheit schlug vor, die Zahl der Prüfungsfächer bei vier zu belassen und auch die drei genannten *Kernfächer* Deutsch, Mathematik und Fremdsprache nicht als obligatorische Prüfungsfächer vorzugeben. Begründet wurde dies vor allem mit der Benachteiligung der naturwissenschaftlichen Fächer durch eine solche Regelung, aber auch mit dem Hinweis, es habe bislang empirisch nicht belegt werden können, dass eine Erhöhung der Prüfungsanforderungen und eine stärkere Vereinheitlichung der Abiturprüfung zu einer verbesserten Studierfähigkeit führten. Einige Kommissionsmitglieder sprachen sich gleichwohl für eine Verschärfung der Prüfungsanforderungen durch Einführung eines fünften Prüfungsfaches aus; zudem sollten zumindest zwei der drei Kernfächer zu Pflichtgegenständen der Abiturprüfung gemacht werden. Die KMK

[6] Die KMK hatte allerdings bereits im Februar 1994 in einer Erklärung zur „Sicherung der Qualität der allgemeinen Hochschulreife als schulische Abschlussqualifikation und Gewährleistung der Studierfähigkeit" im Anschluss an die ersten beiden sog. „Loccum-Gespräche" auf die drei genannten Fächer verwiesen; die Stärkung der Kompetenzen in diesen Fächern sei grundlegend für die Verbesserung der Studierfähigkeit; vgl. ERKLÄRUNG, 1994, S. 1.

[7] Englisch, Deutsch und Mathematik seien „universell nutzbare 'Sprachen', die Grundformen der Kommunikation mit der Welt repräsentieren und deren Verfügbarkeit zugleich eine notwendige Voraussetzung allgemeiner Studierfähigkeit darstellt. Diese Fächer verweisen auf generelle instrumentelle Kompetenzen" (Weiterentwicklung, 1995, S. 132 [Hervorh. i.Orig.]).

selbst entschied sich für einen Kompromiss zwischen den beiden Positionen: Einerseits blieb es bei vier Abiturprüfungsfächern, andererseits müssen nun Deutsch oder die weitergeführte Fremdsprache Abiturprüfungsfach und darüber hinaus die drei Aufgabenfelder – das sprachlich-literarisch-künstlerische, das mathematisch-naturwissenschaftlich-technische und das gesellschaftswissenschaftliche – in der Abiturprüfung durch je ein Fach repräsentiert sein. In der Qualifikationsphase der Klassen 12 und 13 sind alle vier Halbjahreskurse der Kernfächer Deutsch, Mathematik und Fremdsprache in die Gesamtqualifikation einzubringen.[8] Den Ländern wurde freigestellt, Schülerinnen und Schülern die Erbringung einer „besonderen Lernleistung" zu ermöglichen, deren Ergebnis in die Abschlussnote Eingang findet (vgl. RICHTUNGSENTSCHEIDUNGEN, 1995, S. 1f.; VEREINBARUNG, 1999, S. 11f.). Die KMK betonte, dass sie die vorgenommenen Änderungen als notwendig erachte, zugleich aber die Kernelemente der Oberstufenkonzeption – Einführungs- und Qualifikationsphase, Grund- und Leistungskurssystem, Aufgabenfelder, Credit-System, Möglichkeit individueller Schwerpunktbildung – nicht antasten wolle; auch an der allgemeinen Hochschulreife als grundlegender Eingangsvoraussetzung für das Studium aller Fächer werde festgehalten (vgl. VEREINBARUNG, 1999, S. 1).

Mit den Richtungsentscheidungen war die Diskussion um die Weiterentwicklung der gymnasialen Oberstufe keineswegs beendet. Weitere Veränderungen erfolgten im Zuge der „Husumer Beschlüsse" der KMK vom Oktober 1999. Die Länder können nun eine fünfte, schriftlich oder mündlich zu absolvierende Prüfung im Abitur oder eine „besondere Lernleistung"

---

[8] Ein Bundesland bestand auf einer Substitutionsregelung, nach der, „sofern die in den Fächern Deutsch, Fremdsprache, Mathematik zu vermittelnden grundlegenden Kompetenzen in Grundkursen anderer Fächer curricular abgesichert und systematisch ausgewiesen sind, (...) bis zu vier solcher Kurse auf die Beleg- und Einbringungsverpflichtungen in den Fächern Deutsch, Fremdsprache, Mathematik angerechnet werden" können (Vereinbarung 1999, S. 11).

als Pflichtelement in der Oberstufe vorschreiben. Damit haben sich diejenigen Länder durchsetzen können, deren Vorstellungen im Rahmen des Kommissionsberichts zunächst nur als Minderheitenvotum repräsentiert waren (vgl. WEITERENTWICKLUNG, 1995, S. 164; SCHMOLL / REUMANN, 1999).

Zur Zukunft der gymnasialen Oberstufe

Die seit der Reform des Jahres 1972 an der Oberstufenkonzeption vorgenommenen Änderungen folgten zumeist einer Linie sukzessiver Rücknahme zunächst gewährter Freiheitsräume und damit einer Verschärfung der Anforderungen an die Absolventinnen und Absolventen der gymnasialen Oberstufe. Gleichwohl verfügen diese nach wie vor über ein hohes Maß an Wahl- und Optionsmöglichkeiten, dies nicht zuletzt mit Blick auf die Breite des Fächerangebotes. Die Veränderungen zielten im Wesentlichen darauf ab, tatsächlichen oder vermeintlichen Qualifikationsmängeln bei Schülerinnen und Schülern zu begegnen und damit vor allem den Forderungen der Abnehmerseite – insbesondere der Hochschulen – nach Sicherung umfassender Allgemeinbildung und Studierfähigkeit potenzieller Studierender gleichermaßen zu genügen. Wenn sich auch, wie ACHTENHAGEN anmerkt, „die Defizitbehauptungen so gut wie nicht belegen lassen, so sind sie doch als bildungspolitisches Datum evident“ (ACHTENHAGEN, 1996, S. 245) und insoweit ernst zu nehmen.

Bei der Diskussion um die Zukunft der gymnasialen Oberstufe zeichnen sich zwei Grundtendenzen ab. Einerseits werden den Ländern größere Freiheiten bei der je eigenständigen Weiterentwicklung ihrer Oberstufenkonzeption eingeräumt. Eine der hierzu notwendigen Voraussetzungen wurde dadurch geschaffen, dass Schulversuche nicht mehr durch die KMK genehmigt, sondern dieser nur noch angezeigt werden müssen. Des Weiteren können die Länder einer ausgewählten Schülerklientel je unterschiedliche Möglichkeiten zum schnelleren

Erreichen des Abiturs anbieten, zu denen nun auch der verkürzte Durchgang durch die gymnasiale Oberstufe zählen kann (vgl. SCHMOLL / REUMANN, 1999).[9]

Andererseits zeichnet sich ab, dass diejenigen Akteure, die auf die weitere Gestaltung der gymnasialen Oberstufe maßgeblichen Einfluss nehmen, an zentralen Grundpositionen festhalten werden. Hierfür steht z. B. das Spannungsfeld von „Berechtigung“ und „Befähigung“. Diese Dichotomie dürfte nicht nur die weitere Debatte, sondern auch deren Ergebnisse vorstrukturieren. Nach wie vor soll das Hochschulreifezeugnis nicht nur zum Nachweis erworbener Kenntnisse und Fähigkeiten, sondern zugleich als grundlegende Berechtigung zur Aufnahme eines Hochschulstudiums in allen Fächern dienen.[10] Bislang lassen die Vertreter der Hochschulen nicht erkennen, dass sie von diesem Grundsatz abweichen und beispielsweise, wie in vielen Staaten üblich, den Zugang zum Studium vom Ergebnis separater Aufnahme- oder Eingangstests abhängig machen wollten. Der Berechtigungscharakter des Hochschulreifezeugnisses ist seit jeher ein Kernargument der Hochschulvertreter, mit dem sie auf ihre Zuständigkeit und Berechtigung gleichermaßen verweisen, über die Gestaltung der gymnasialen Oberstufe, wenn nicht des gesamten gymnasialen Bildungsganges, mitzubestimmen. Eine Entkoppelung des Zusammenhanges von Befähigung und Berechtigung könnte weitere Freiheitsspielräume eröffnen und eine stärkere Verzahnung allgemeiner und berufsbezogener Bildung in der Sekundarstufe II ermöglichen, wie dies als Option bereits in der

[9] Zuvor war ein zeitlich verkürztes Erreichen des Abiturs nur durch vorzeitiges Eintreten in die gymnasiale Oberstufe möglich. Nach den „Husumer Beschlüssen“ der KMK soll nun auch die Oberstufe selbst verkürzt durchlaufen werden können.

[10] Auch die Beschäftigungsbedingungen des öffentlichen Dienstes, die die Aufnahme in eine Laufbahn an das Vorliegen vorgegebener schulischer Zertifikate binden – so ist das Zeugnis der allgemeinen Hochschulreife regelmäßig Voraussetzung für eine Tätigkeit in der höheren Beamtenlaufbahn – wirken nach wie vor in starkem Maße normierend.

Oberstufenvereinbarung von 1972 enthalten war (vgl. VEREINBARUNG, 1972, S. 13). Nicht nur die mittlerweile hohe Zahl an Gymnasialabsolventen, die eine Berufsausbildung im dualen System durchlaufen, böte Anlass, hierüber nachzudenken. Derzeit finden sich jedoch keine Anzeichen dafür, dass ein solcher Schritt bildungspolitisch mehrheitsfähig wäre. Somit dürfte die gymnasiale Oberstufe in ihrer didaktischen und wissenschaftspropädeutischen Grundausrichtung auch weiterhin vom Hochschulstudium her gedacht und ausgestaltet werden.

Quellen

BUNDESMINISTERIUM FÜR BILDUNG UND FORSCHUNG (Hrsg.): Grund- und Strukturdaten 1999/2000. Bonn 2000.

EMPFEHLUNGEN zur Arbeit in der gymnasialen Oberstufe gemäß Vereinbarung zur Neugestaltung der gymnasialen Oberstufe in der Sekundarstufe II. Beschluss der Kultusministerkonferenz vom 2.12.1977 i.d.F. vom 19.12.1988, in: Sammlung der Beschlüsse der Ständigen Konferenz der Kultusminister der Länder in der Bundesrepublik Deutschland. Neuwied u. a. 1982ff., Ordnungszahl 177.

ERKLÄRUNG zur Weiterentwicklung der einheitlichen Prüfungsanforderungen in der Abiturprüfung. Beschluss der Kultusministerkonferenz vom 17./18.11.1977, in: Sekretariat der Ständigen Konferenz der Kultusminister der Länder in der Bundesrepublik Deutschland (Hrsg.): Handbuch für die Kultusministerkonferenz 1990. Bonn 1990, S. 203–205.

ERKLÄRUNG der Kultusministerkonferenz „Sicherung der Qualität der allgemeinen Hochschulreife als schulische Abschlussqualifikation und Gewährleistung der Studierfähigkeit“ vom 25.2.1994, in: Sammlung der Beschlüsse der Ständigen Konferenz der Kultusminister der Länder in der Bundesrepublik Deutschland. Neuwied u. a. 1982ff., Ordnungszahl 33.

RAHMENVEREINBARUNG zur Ordnung des Unterrichts auf der Oberstufe der Gymnasien. Beschluss der Kultusministerkonferenz vom 29.9.1960, in: Sammlung der Beschlüsse der Ständigen Konferenz der Kultusminister der Länder in der Bundesrepublik Deutschland. Neuwied u. a. 1982ff., Ordnungszahl 175.

RICHTUNGSENTSCHEIDUNGEN zur Weiterentwicklung der Prinzipien der gymnasialen Oberstufe und des Abiturs, in: Sammlung der Beschlüsse der Ständigen Konferenz der Kultusminister der Länder in der Bundesrepublik Deutschland. Neuwied u. a. 1982ff., Ordnungszahl 180.

SAMMLUNG der Beschlüsse der Ständigen Konferenz der Kultusminister der Länder in der Bundesrepublik Deutschland. Neuwied u. a. 1982 ff.

VEREINBARUNG zur Neugestaltung der gymnasialen Oberstufe in der Sekundarstufe II vom 7. Juli 1972. Hrsg. von der Ständigen Konferenz der Kultusminister der Länder in der Bundesrepublik Deutschland. Neuwied 1972.

VEREINBARUNG zur Neugestaltung der gymnasialen Oberstufe in der Sekundarstufe II vom 7. Juli 1972 i.d.F. vom 11.4.1988, in: Sekretariat der Ständigen Konferenz der Kultusminister der Länder in der Bundesrepublik Deutschland (Hrsg.): Handbuch für die Kultusministerkonferenz 1990. Bonn 1990, S. 167–191.

VEREINBARUNG zur Gestaltung der gymnasialen Oberstufe in der Sekundarstufe II. Beschluss der Kultusministerkonferenz vom 7.7.1972 in der Fassung vom 22.10.1999), in: Sammlung der Beschlüsse der Ständigen Konferenz der Kultusminister der Länder in der Bundesrepublik Deutschland. Neuwied u. a. 1982 ff., Ordnungszahl 176.

WEITERENTWICKLUNG der Prinzipien der gymnasialen Oberstufe und des Abiturs. Abschlussbericht der von der Kultusministerkonferenz eingesetzten Expertenkommission. Hrsg. vom Sekretariat der Ständigen Konferenz der Kultusminister der Länder in der Bundesrepublik Deutschland. Bonn 1995.

Literatur

ACHTENHAGEN, FRANK: Zur Weiterentwicklung der Prinzipien der gymnasialen Oberstufe und des Abiturs, in: Beck, Klaus u. a. (Hrsg.): Berufserziehung im Umbruch. Weinheim 1996, S. 239–261.

DAHRENDORF, RALF: Bildung ist Bürgerrecht. Hamburg 1966.

DERBOLAV, JOSEF: Gymnasium, in: Enzyklopädie Erziehungswissenschaft. Band 8. Hrsg. von Ernst-Günther Skiba, Christoph Wulf und Konrad Wünsche. Stuttgart 1983, S. 211–227.

EDELSTEIN, WOLFGANG (Hrsg.): Oberstufenreform in der Höheren Schule. Berichte aus Landerziehungsheimen. Stuttgart o. J. (1961).

FINGERLE, KARLHEINZ; WICKE, ERHARD: Die neugestaltete gymnasiale Oberstufe ohne bildungstheoretische Legitimation, in: Zeitschrift für Pädagogik. 28 (1982), S. 93–110.

FURCK, CARL-LUDWIG: Die Reform der gymnasialen Oberstufe im Schnittpunkt konfligierender Interessen – Analyse einer Bildungsreform, in: Zeitschrift für Pädagogik. 29 (1983), S. 661–673.

FURCK, CARL-LUDWIG: Das Schulsystem: Primarbereich – Hauptschule – Realschule – Gymnasium – Gesamtschule, in: Führ, Christoph; Furck, Carl-Ludwig (Hrsg.): Handbuch der deutschen Bildungsgeschichte. Band VI/I. München 1998, S. 282–356.

HERRLITZ, HANS-GEORG: Geschichte der gymnasialen Oberstufe. Theorie und Legitimation seit der Humboldt-Süvernschen Reform, in: Enzyklopädie Erziehungswissenschaft. Band 9. Hrsg. von Herwig BLANKERTZ. Stuttgart 1982, S. 89–107.

KÄSTNER, HARALD: Zur Entstehung der Bonner Vereinbarung vom 7.7.1972, in: Bildung und Erziehung. 31 (1978), S. 496–515.

KAISER, ARMIN: Die didaktische Struktur der gymnasialen Oberstufe. Entwicklungen nach der KMK-Reform von 1972, in: Enzyklopädie Erziehungswissenschaft. Band 9. Hrsg. von HERWIG BLANKERTZ. Stuttgart 1982, S. 130–151.

PICHT, GEORG: Die deutsche Bildungskatastrophe. München 1965.

ROTH, LEO: Die reformierte gymnasiale Oberstufe, in: Roth, Leo (Hrsg.): Pädagogik. Handbuch für Studium und Praxis. München 1991, S. 372–395.

SCHEUERL, HANS: Kriterien der Hochschulreife, in: Zeitschrift für Pädagogik. 15 (1969), S. 21–35.

SCHMIDT, ARNO: Das Gymnasium im Aufwind. 2. Aufl. Aachen-Hahn 1994.

SCHMOLL, HEIKE; REUMANN, KURT: Mehr Freiheit für die Länder beim Abitur, in: F.A.Z. vom 23.10.1999, S. 1f.

TENORTH, HEINZ-ELMAR: Hochschulzugang und gymnasiale Oberstufe in der Bildungspolitik von 1945–1973. Bad Heilbrunn 1975.

MATTHIAS HEINRICHS

Die Freie Comenius-Schule, eine an der Freinetpädagogik orientierte integrierte Gesamtschule in Darmstadt

Es ist Montag halb neun. Die Kinder der U1 sitzen auf der Sitzkissenschlange im Morgenkreis. Gerade hat Anita[1] aus dem 2. Schuljahr den Kreis mit den Worten eröffnet: „Der Kreis fängt an. Bitte haltet euch an die Regeln." Jetzt ist ein Lied oder ein Spiel der Woche dran, das Anita ausgewählt hat, weil sie in dieser Woche Präsidentin ist. Danach kommt die Steinrunde[2]. Jedes Kind sagt seinen Namen und wie es ihm gerade geht.

Besucherinnen[3] merken spätestens jetzt, dass das Verhältnis zwischen den Kindern und den Erwachsenen ganz anders ist als an einer normalen Schule. Denn wir Lehrpersonen[4], eine Frau und ein Mann in jeder Stammgruppe, werden beim Vornamen angesprochen und müssen sich genauso melden wie die Kinder und warten, bis sie dran genommen werden.

[1] Die Namen sind geändert.

[2] Die Steinrunde hat ihren Namen von dem Redestein, der von Schüler zu Schüler weitergereicht wird. Wer den Stein hat, es kann auch eine Muschel, ein Tennisball oder sonst irgendetwas sein, sagt: „Ich heiße … und mir geht es gut, weil … und schlecht weil …" Auf diese Weise bekommen die Kindergruppe und wir Lehrenden erste Informationen von jedem Kind über seine aktuelle Befindlichkeit.

[3] Dort wo die Mehrheit eindeutig weiblich ist, habe ich die weibliche Form verwendet, sonst die männliche.

[4] Wir sind ein Kleinteam. Zusammen mit den Kollegen der Parallelgruppe U2 bilden wir das Stufenteam. Durch die gemeinsame Nutzung vieler Räume und durch die vielen gruppenübergreifenden Unterrichtssituationen ist eine enge Zusammenarbeit nicht nur im Kleinteam, sondern auch im Stufenteam notwendig.

Nach der Steinrunde kommt die Loswerderunde, in der die Kinder erzählen können, die etwas los werden wollen, was sie beschäftigt. Das kann ein Erlebnis vom letzten Tag oder vom Schulweg sein oder auch ein Traum oder ein Streit beim Frühstück.

Einmal pro Woche gibt es einen Zeigekreis, in dem die Kinder ihre Arbeiten vorstellen können, die sie in der Woche gemacht haben. Bei längeren Projekten wird dort auch über den Stand der Arbeiten berichtet.

Zeigekreise, Vorträge in einer anderen Stammgruppe, Monatskreise, Vorführungen auf einem Kinderelternabend und Beiträge für eines unserer Schulfeste[5], die dreimal im Jahr stattfinden, sind für die Schüler wichtige Gelegenheiten, sich mit einer Arbeit zu präsentieren. Weitere Instrumente, die den Schülern dabei helfen, sich selbst richtig einzuschätzen, sind die Diplome, Wochenplanfeedbacks in den älteren Jahrgängen, Lernberatungsgespräche und die Entwicklungsberichte.

Hier beende ich meinen Bericht. Es gäbe noch viel zu erzählen zum Beispiel darüber, wie es dazu kam, dass es bei uns einen Aufräumaufpasser gibt. Denn wie überall, wo es viele interessante Sachen gibt, gibt es am Ende ein Aufräumproblem. Aber das ist eine ganz andere Geschichte.

---

[5] Es gibt ein Frühlingsfest vor Ostern, ein Sommerfest, zu dem wir die interessierte Öffentlichkeit einladen und ein Jahresabschlussfest vor Weihnachten. Das Sommerfest steht jedes Jahr unter einem anderen Motto, unter dem sich die FCS nach außen präsentiert. Die anderen Feste haben vor allem zwei Funktionen. Zum einen wollen wir damit die Schulgemeinde mit Leben füllen. Nicht nur die Kinder und Lehrer, sondern auch die Eltern sollen spüren, dass sie dazu gehören. Zum anderen sollen die Schulfeste eine Möglichkeit für Auftritte, Ausstellungen und andere Präsentationen bieten. Die Organisation und Durchführung der Schulfeste ist bei uns Sache der Eltern. Die meisten Vorführungen stammen aus den Elternangeboten.

Was bedeutet eigentlich Freinetpädagogik?

Die nach CELESTIN und ELISE FREINET benannte Freinetpädagogik – sie sprachen lieber von moderner Pädagogik oder von der Pädagogik des Volkes – möchte den Schülerinnen und Schülern ihr Recht auf Selbstbestimmung als Lernende zurückgeben („Den Kindern das Wort geben“), das ihnen die traditionelle Schule genommen hat.

So wie kleine Kinder selbst bestimmen, wann und wie sie laufen oder sprechen lernen, soll auch in der Schule gelernt werden. Freinetpädagogen nennen das die ‘natürliche Methode’. Ähnlich wie MARIA MONTESSORI betonen sie, dass die Lehrperson nicht belehren, sondern anregen und unterstützen soll. Wie bei allen Reformpädagogen ist auch bei ihnen die Gestaltung und sinnvolle Ausstattung des Klassenraums dabei von entscheidender Bedeutung. Im Unterschied zur Montessoripädagogik halten Freinetpädagogen dabei wenig von pädagogisch gestaltetem Material, das nur eine bestimmte sinnvolle Nutzung vorgibt. Wichtiger ist ihnen alles Unmittelbare, Fundstücke, mitgebrachte Sachen von Schülern, Mitbringsel von gemeinsamen Erkundungen, selbst hergestelltes Material und Werkzeug, das auch die Handwerker benutzen, Bausteine, Murmeln usw.

Freinetler wollen mit ihren Schülern an deren unmittelbaren Erfahrungen anknüpfen, die sie erzählen, als freien Text aufschreiben oder gemeinsam auf ihren Erkundungen erleben. Nicht die Lehrperson wählt die Lerninhalte aus und sorgt für pädagogisch aufbereitetes Material, das die Gruppe abarbeitet, sondern die Schülergruppe beschließt gemeinsam mit ihr, an welchen Themen gearbeitet werden soll. Den von den Lehrplänen verlangten Wissensstoff eignen sich die Schüler, so weit er nicht bei der Arbeit an den eigenen Themen schon gelernt worden ist, mit den modernsten unterrichtstechnischen Methoden individuell im eigenen Tempo an.

Was sind die wichtigsten Prinzipien und Methoden der Freinetpädagogik?

Die wichtigsten freinetpädagogischen Prinzipien und Methoden[6] im Überblick:

- Freier Ausdruck: Das oberste Ziel der pädagogischen Arbeit ist nach FREINET, die umfassende Entwicklung des persönlichen Ausdrucks. Dabei ist freier Ausdruck nicht auf die verbale oder bildnerische Ausdrucksfähigkeit beschränkt, sondern meint die Entwicklung in allen wichtigen Lebensbereichen. Dazu hat CELESTIN FREINET als besondere Methode den freien Text entwickelt, den ELISE FREINET auf das freie Malen und Theaterspielen und PAUL LE BOHEC auch auf die freie Mathematik[7] ausdehnt.
- Themenzentriertes Lernen: Freinetpädagogen lehnen den Unterricht nach Schulbüchern in vorgegebenen Fächern und Themen ab. Stattdessen entwickeln sie die Themen des Unterrichts so weit wie möglich aus dem, was die Schüler als Erfahrung und Lernwünsche mit in die Schule bringen und zum Beispiel als freien Text aufschreiben. FREINET führte das Drucken in der Schule ein, um als Dokument des eigenen Lernwegs Schulbücher mit den Kindern herzustellen.
- Entdeckendes Lernen: FREINET prägte für den Prozess des aktiven und kreativen Lernens den Begriff tastendes Versuchen. Damit setzte er der Vorstellung, Lernen sei ein

[6] Freinet spricht von 'Techniken'. Gemeint sind bestimmte Arbeitsweisen der gesamten Lerngruppe, die im Schulalltag feste Strukturen bilden. Es geht also nicht um die Methode, wie eine Lehrperson lehrt, und auch nicht um die Organisation von Highlights im grauen Schulalltag, wie es zum Beispiel mit den Projektwochen Mode geworden ist. Der freie Text zum Beispiel ist dann eine Technik im Sinne der Freinetpädagogik, wenn es zum Alltag gehört, dass Kinder die Möglichkeit haben frei zu schreiben und ihre Texte zu veröffentlichen.

[7] Weitere Informationen und eine umfassende Literaturliste ist erhältlich bei der Freinet-Kooperative e.V., Schmidtstr. 37, 28203 Bremen Telefon und FAX 0421-344929 email: freinetkooperative@t-online.de Homepage: http://freinet.paed.com

linearer Prozess, bei dem die Lehrperson seinen Schüler auf einem von ihm geebneten Weg zu einem von ihr definierten Ziel führt, ein ganz anderes und viel aufregenderes Bild entgegen. Lernen ist, wenn es wirklich den ganzen Menschen erfasst, eine Expedition in ein unbekanntes Land oder die Erforschung eines fremden Schlosses mit unzähligen Zimmern. Die Lehrperson ist die Begleiterin. Sie bietet Hilfmittel, Unterstützung und Know-how dort und dann an, wenn sie durch die Situation erforderlich sind. Und sie unterstützt bei der Dokumentation und Sicherung der Lern- bzw. Forschungsergebnisse. Entdeckendes Lernen braucht Zeit, Raum und Geduld. Oft sind die Ergebnisse auf den ersten Blick unscheinbar und die Lernwege schwer verständlich. Freinetpädagogen wollen für diese wichtige Art des Lernens Freiräume und Verständnis schaffen.

- Lernen außerhalb der Schule: FREINET kam aus dem Ersten Weltkrieg mit einer Schussverletzung der Lunge zurück. Deshalb konnte er die stickige Klassenzimmerluft nicht gut ertragen. Jedenfalls soll das ein Anlass dafür gewesen sein, dass er mit seinen Klassen regelmäßig Erkundungen in die Umgebung unternahm und anschließend die Ergebnisse für die Arbeit nutzte. Für Freinetpädagogen ist es eine Selbstverständlichkeit, dass die Schule kein Abbild der Welt draußen ist, in dem die Schüler alle Erfahrungen machen können, die für ihr Leben wichtig sind. Schule ist eher ein Stützpunkt und eine gut eingerichtete Werkstatt, in der die Erfahrungen, die die Schüler mitbringen und die die Klasse gemeinsam auf ihren Erkundungen macht, verarbeitet werden. Dabei geht es nicht um den gut vorbereiteten Ausflug, der 1–2mal im Jahr stattfindet, sondern darum möglichst viel unterwegs zu sein, um die Welt mit all ihren Ungereimtheiten und Widersprüchen möglichst gut kennen zu lernen.

- Selbstverantwortung: Freinetpädagogen glauben nicht an die Macht des Belehrens. Sie glauben vielmehr, dass das Lernen von Anfang an eine Sache des Kindes ist. Diese Eigenverantwortung für das eigene Lernen darf nicht mit der Schule aufhören. Soweit die traditionelle Schule ihre Schüler entmündigt hat, sehen die Freinetpädagogen ihre Aufgabe darin, diesen Prozess umzukehren. Daher das Schlagwort, das auch als Titel eines Films über die Freinetpädagogik bekannt wurde: Den Kindern das Wort geben. Das Wort haben bedeutet in diesem Zusammenhang, die Initiative haben und das Recht haben den eigenen Lerninteressen zu folgen und im eigenen Tempo zu lernen.
- Politisch nicht neutral: FREINET selbst war libertärer Sozialist. In der Periode der Stalinisierung wurde er aus der KPF ausgeschlossen. Er unterstützte die Bildung von Bauernkooperativen und organisierte aus dieser Erfahrung heraus eine Lehrerkooperative. Auch wenn es heute viel schwerer ist eine schlüssige Vision zu formulieren, wie die Menschen in Zukunft zusammenleben sollen, so sind doch die sozialistischen Grundwerte aktueller Grundkonsens der Freinetpädagogen geblieben: Solidarität mit den Schwachen, Antirassismus, Antikolonialismus, Naturschutz und Schutz der natürlichen Ressourcen.
- Demokratie: Sie wird durch den Klassenrat verwirklicht, der alle wichtigen Entscheidungen trifft, auch über finanzielle Angelegenheiten. Der Klassenrat wird von einer Schülerpräsidentin geleitet. Die Lehrperson hat wie jeder Schüler eine Stimme.
- Die Kooperation mit anderen Klassen: Nach Freinets Meinung ist die eigene Welt, der Wohnort oder das Stadtviertel zu klein, um die notwendigen Erfahrungen zu machen. Heute wäre das Internet für ihn ein wichtiges Medium der Welterweiterung. In den 1920er-Jahren waren es die Klassenkorrespondenzen und die mit vielen Klassen gemeinsam hergestellten Schülerzeitungen. Solche Klassenkorrespon-

denzen gibt es heute nur noch selten. Dafür nimmt der Austausch über E-Mails und Internet zu.

- Die Kooperation mit Gleichgesinnten: Freinetpädagogen treffen sich möglichst regelmäßig in regionalen Gruppen und auf Treffen. Der Erfahrungsaustausch und die praktische Erprobung neuer Ideen – FREINET prägte dafür den Ausdruck 'tastende Versuche' – sind der Inhalt dieser Treffen, bei denen es weder eine Leitung noch ein festes Programm gibt. Denn das Programm sind die Teilnehmerinnen und Teilnehmer mit ihren Angeboten und Lerninteressen. Es gibt Treffen auf regionaler, nationaler und internationaler Ebene.
- Vielfalt statt Dogmatismus: Freinetpädagogik ist das, was ein Freinetler in seiner Lerngruppe praktiziert. Diese prinzipielle Offenheit ist sicher dafür verantwortlich, dass in einer Zeit, in der es anscheinend auf die schnelle Einordnung von Phänomenen und Strömungen ankommt, die Freinetpädagogik nicht populär ist. Das Markenbewusstsein ist unter Freinetpädagogen nicht besonders ausgeprägt. Im Gegenteil: Viele sprechen nicht von Freinetpädagogik, weil sie fürchten als Mitglieder einer pädagogischen Sekte angesehen zu werden. Wer sich aber einmal auf FREINET eingelassen hat, wird davon fasziniert sein, wie der freie Ausdruck nicht nur die Schüler, sondern auch die Lehrperson selbst dabei unterstützt, ihre ganze Persönlichkeit zu entwickeln.

Warum gibt es keine Freinetschulen?[8]

FREINET ging es nicht darum, eine feste Organisation zu bilden, wie sie im Namen vieler anderer Reformpädagogen wie MONTESSORI, STEINER oder PETERSEN gegründet worden sind.

Er hatte auch kein Interesse an einer dogmatischen Festlegung, was Freinetpädagogik ist und was nicht. Deshalb sind die Freinettreffen bis heute offen für alle Interessierten, egal ob sie Mitglied der Freinetkooperative sind oder ob sie in ihren Klassen schon Elemente der Freinetpädagogik verwirklicht haben. Lerngruppen, die nach freinetpädagogischen Prinzipien arbeiten, können je nach den vorhandenen Arbeitsbedingungen und den Erfahrungen und dem Mut der Lehrpersonen sehr unterschiedlich aussehen. Viele Kollegen integrieren auch andere pädagogische oder psychologische Ansätze in ihre Arbeit[9].

Es gibt also weder Freinetschulen, wie es Montessori- oder Walldorfschulen gibt, noch eine Ausbildung zum Freinetpädagogen, obwohl immer wieder darüber diskutiert wird. Der Grund dafür ist die Zielsetzung, die CELESTIN FREINET mit seiner Pädagogik verfolgte. Er wollte die Volksschule revolutionieren und setzte dabei auf die Kooperation mit Gleichgesinnten. Privatschulen sah er als Nischen an, in denen nur die Kinder in den Genuss einer besseren Pädagogik kommen, deren Eltern es sich leisten können.

---

[8] Ich benutze den Ausdruck in dem Sinne wie es Walldorf- und Montessorischulen gibt. Diese Schulen haben einen gemeinsamen organisatorischen Zusammenhang, haben auch bei allen Unterschieden verbindliche Standards definiert und bieten eine eigene Lehrerausbildung an. In Dänemark und Holland gibt es einige Schulen, die sich Freinetschule nennen. Eine Freinetschule gibt es auch in Köln.

[9] Es kommt häufig vor, dass andere Ansätze, wie z. B. Montessoripädagogik, TZI, NLP, Psychodrama o. Ä. auf Freinettreffen von Kollegen vorgestellt werden, die in diesen Bereichen Erfahrungen oder eine Ausbildung gemacht haben. Dabei geht es immer um die Frage, was kann mir dieser neue Ansatz für meine Praxis bieten.

Statt Schulen zu gründen, organisierte FREINET deshalb nach dem Vorbild der Bauernkooperativen seiner Heimat Lehrerkooperativen. So entstand in den 1920er-Jahren in Frankreich die Freinetbewegung, die sich schnell in ganz Europa und später auch in andere Kontinente verbreitete. Einen neuen Aufschwung bekam die Freinetbewegung in Deutschland durch die Studentenbewegung Anfang der 1970er-Jahre. Viele Lehrerinnen und Lehrer, die mit den autoritären Strukturen in der Schule und auch in der Lehrergewerkschaft unzufrieden waren, sahen in der Freinetpädagogik das passende Konzept, die Schule zu demokratisieren.

Aber obwohl sich in den vergangenen Jahrzehnten viel in den Schulen verändert hat, sind Freinetpädagogen auch heute meistens Einzelkämpfer an ihrer Schule geblieben, oft argwöhnisch beäugt, aber auch geachtet wegen ihrer hohen pädagogischen Kompetenz.

Es gibt aber auch Schulen, an denen es gelungen ist, mehrere Kollegen oder gar ein ganzes Kollegium und die Elternschaft für die Freinetpädagogik zu begeistern[10]. An solchen Schulen ist vieles möglich, was eine einzelne Lehrerin nicht verwirklichen kann, wenn sie mit ihren Einstellungen und Methoden im Kollegium allein dasteht.

Welchen Einfluss hat die Freinetpädagogik auf die Schulreform genommen?

Seit den 1980er-Jahren haben Freinetpädagogen in vielen Fällen Einfluss auf die Entwicklung von Rahmenplänen vor allem für die Grund- und Sonderschulen und auf die Konzeptentwicklung verschiedener Versuchsschulen genommen. Andere haben sich intensiv in der Lehreraus- und -fortbildung engagiert. Dabei haben sie meistens darauf verzichtet herauszu-

[10] Solche Schulen sind in der Regel offen für Besuche. Adressen können über die Freinet-Kooperative erfragt werden.

stellen, dass ihre Ideen und Vorschläge auf die Freinetpädagogik zurückgehen. Begriffe wie freier Text, Wochenplan, freie Arbeit, Klassenrat, Erkundung haben ihre Wurzeln in der Freinetpädagogik.

In vielen Schulen werden heute einzelne Aspekte umgesetzt. Von der konsequenten Demokratisierung des Schulsystems, so wie sie die Freinetpädagogik fordert, sind wir aber nach wie vor weit entfernt. Sie würde vor allem eine veränderte Auffassung der *Lehrerrolle* voraussetzen, die in der Lehreraus- und fortbildung praktisch eingeübt werden müsste. Den Kindern das Wort geben, bedeutet nämlich auf die eigene Lehrbedürfnisse weitgehend zu verzichten und sich immer neu für die Lern- und Arbeitsbedürfnisse der Schüler zu sensibilisieren. Den Kindern das Wort geben bedeutet aber auch, eine große Achtsamkeit gegenüber den individuellen Lernwegen der Kinder zu entwickeln. Das setzt voraus, dass die Lehrperson gute und persönliche Beziehungen zu ihren Schülern entwickelt. Dem steht u. a. die Verpflichtung entgegen, die Schüler regelmäßig zu bewerten und über Weiterkommen oder Sitzen bleiben zu entscheiden. Deshalb wäre die Abschaffung der Noten eine wesentliche Voraussetzung für die Demokratisierung des Schulsystems im Sinne der Freinetpädagogik.

Was fehlt in der Freinetpädagogik?

Wer eine Schule nach freinetpädagogischen Prinzipien entwickeln will, wird schnell feststellen, dass die Freinetpädagogik als Orientierungsrahmen nicht ausreicht, um eine gute Schule auf die Beine zu stellen. Das liegt daran, dass es FREINET darum ging, im organisatorischen Rahmen der Staatsschule seine Prinzipien zu verwirklichen. Sein Fokus war die Klasse, nicht eine ganze Schule. Fragen nach der Organisationsstruktur – ob Jahrgangsklassen oder nicht, nach der Einbeziehung der Eltern, nach der Wochenstrukturierung usw. spielen bei ihm kaum eine Rolle. Ihm geht es vor allem um das einzelne Kind und dessen möglichst freier Entfaltung. Obwohl er nach heftigen Konflikten mit der Schulbürokratie und bürgerlichen Eltern den staatlichen Schuldienst verlassen musste und eine eigene private Schule gegründet hat, galt sein Interesse der schrittweisen Veränderung des staatlichen Schulsystems und nicht der Entwicklung einer idealen Schulorganisation.

Deshalb müssen sich Menschen, die eine demokratische Schule entwickeln wollen ihre Ideen außer bei FREINET noch bei vielen anderen Pädagogen holen, was FREINET übrigens sehr gefallen hätte. War er doch der Meinung, dass seine Pädagogik wenig Originelles enthält, sondern vielmehr eine Ansammlung guter Ideen anderer Pädagogen sei, die er sozusagen zu einer virtuellen reformpädagogischen Kooperative zusammengeführt hat.

Was sind die besonderen Merkmale der Freien Comenius-Schule?

Die Freie Comenius-Schule (FCS) wurde 1986 von einer Elterngruppe gegründet, die für ihre Kinder eine reformpädagogisch orientierte Schule wollten, denen aber die Walldorfschule zu dogmatisch war. Bei der Erstellung des Genehmigungskonzepts waren mit Angela und Hartmut Glänzel zwei erfahrene Freinetpädagogen maßgeblich beteiligt. Auch bei der weiteren Entwicklung haben Freinetpädagogen als Eltern und als Lehrer bis heute prägenden Einfluss. Trotzdem ist die FCS keine ‘Freinetschule’. Ihrer organisatorischen Struktur nach ist sie eine Jenaplanschule. Die Schülerinnen und Schüler werden in altersgemischten Gruppen unterrichtet, wobei bis zum 6. Schuljahr die Stammgruppen jeweils drei Jahrgänge umfassen. Die 7. bis 10. Jahrgänge werden in Stammgruppen zu je zwei Jahrgängen unterrichtet.

Die FCS ist eine integrative Ganztagsschule, in der behinderte und nicht behinderte Schüler gemeinsam unterrichtet werden.

Unserer Erfahrung nach sind die altersgemischten Gruppen für die Integration lernschwacher, aber auch besonders leistungsstarker Schüler günstig. Für Kinder mit einem speziellen Förderbedarf (nicht nur Sonderschulkinder!) gibt es zusätzliche Angebote, die von einer Sonderpädagogin durchgeführt werden.

In jeder Stammgruppe unterrichten Teams von Lehrerinnen und Lehrer, wobei wir darauf achten, dass gleich viele Frauen und Männer zusammenarbeiten. Viele Kinder wachsen als Einzelkinder auf. Viele leben alleine mit einem Elternteil zusammen. Die Stammgruppe soll Defizite, die durch diese Lebensweise entstehen, ein wenig kompensieren. Sie kann keine funktionierende Familie ersetzen. Aber sie bietet die Möglichkeit, Erfahrungen zu machen, zu denen ein Kind Geschwister braucht. Vor allem für Jungen ist es unserer Meinung nach wichtig, dass sie im Grundschulalter männliche Identifikationsmöglichkeiten angeboten bekommen und nicht in einer frauendominierten Welt aufwachsen müssen, wie sie die meisten Regelschulen darstellen.

Die FCS versteht sich als Elternschule. *Eltern* zahlen nicht nur Schulgeld, sondern sie nehmen in vielen Funktionen und unterschiedlichen Rollen am Schulalltag und an der Verwaltung der Schule teil. Eltern haben in vielen Baueinsätzen unsere Schulgebäude ausgebaut und engagieren sich bei der Unterhaltung der Gebäude. Eltern machen eigene Unterrichtsangebote und betreuen die Kinder in den unterrichtsfreien Zeiten.

Auch wenn die FCS sehr strukturiert und durchorganisiert wirkt, ist sie eine freie Alternativschule. Sie ist zwar kein Summerhill und will das auch nicht sein, aber sie verzichtet auf das ganze Arsenal der strukturellen Gewalt wie Noten, Zeugnisse, Klassenarbeiten, ohne das die Staatsschule wie ein Kartenhaus zusammenbrechen würde. Stattdessen haben wir eine ganze Palette von Feedbacks entwickelt, die dem Schüler bei der Selbsteinschätzung seines Arbeitsverhaltens und seines Leistungsstands effektiv helfen, ohne ihn zu bewerten und damit in seinem Selbstwertgefühl zu beeinträchtigen.

Dazu gehören Zeige- und Berichtskreise, regelmäßige Lernberatungsgespräche, Vorführungen beim Monatskreis und auf den Schulfesten, das Portfolio, die Arbeit an den Themenbüchern der Gruppe und schließlich die jährlichen Entwicklungsberichte.

Die FCS ist eine Privatschule. Die Eltern zahlen also Schulgeld. Die Entscheidung, eine Privatschule zu werden, war nicht selbst gewählt. Aber im Gegensatz zu vielen anderen europäischen Ländern, lässt das deutsche Schulrecht eine Schule wie die unsere als staatliche Schule nicht zu. Da wir alles tun, um das Schulgeld möglichst niedrig zu halten und trotzdem die Lehrerinnen und Lehrer angemessen zu bezahlen, leiden wir unter ständigem Geldmangel.

Woran erkennt man den Einfluss der Freinetpädagogik an der Freien Comenius-Schule?:

- Der Fachunterricht wird so weit wie möglich reduziert, um Zeit für die Arbeit an den Themen der Schülerinnen zu haben.
- Es werden keine Schulbücher verwendet außer im Fremdsprachenunterricht und in der Abgangsgruppe, in der die Schüler auf die externe Prüfung vorbereitet werden.
- Es gibt eine Schuldruckerei und als moderne Weiterentwicklung PCs in den Arbeitsräumen.
- Die Schülerinnen und Schüler werden angehalten an eigenen Themen zu arbeiten.
- Freie Texte, die bei uns Wochentexte heißen, sind bei uns wichtig. Sie werden öffentlich vorgelesen und manchmal in eigenen Büchern oder in der ComPost, unserer Schulzeitung veröffentlicht.
- Es gibt Zeiten für freie Arbeit, in denen die Schüler ihre Arbeit absolut frei wählen.
- Es gibt Diplome für bestimmte Arbeitsbereiche. Wer zum Beispiel ein Diplom für die Holzwerkstatt hat, darf in den freien Arbeitszeiten allein in der Holzwerkstatt arbeiten.

- Es gibt Zeiten für gruppenübergreifende Lehrerangebote, in denen den Schülern Arbeitstechniken für die freie Arbeit vermittelt werden. In vielen Angeboten können die Schüler ein Diplom machen.
- Jede Gruppe trifft sich wöchentlich zum Gruppenrat. Dort werden alle für die Gruppe wichtigen Entscheidungen getroffen und Konflikte geklärt.
- Es gibt viele freie Übungszeiten, in denen die Schüler in einem selbst gewählten Schwerpunkt üben. Dabei setzen wir Material mit Selbstkontrollmöglichkeiten ein.
- Im Rahmen eines Gruppenthemas machen wir in der Regel eine Erkundung. Darüber hinaus gibt es oft Unterrichtsgänge mit Kleingruppen, damit die Schüler einen möglichst unmittelbaren Zugang zum Thema bekommen. Das Gruppenthema wählt die Gruppe aus den Vorschlägen der Schüler.
- Es gibt viele Werkstätten (Malerei, Töpferei, Papier schöpfen, zwei Holzwerkstätten, Druckerei, Computerraum, Küchen, Büchereien), einen Schulgarten und ein großes naturnahes Außengelände mit Bach, Wasserspielplatz und Bolzplatz. Die Schüler dürfen in den Werkstätten in der freien Arbeit selbständig arbeiten, wenn sie ein entsprechendes Diplom haben.
- Das meiste Lern- und Arbeitsmaterial ist den Schülern frei zugänglich. Sie sind für die Ordnung im Raum selbst verantwortlich. Jeder Schüler hat mindestens eine feste Verantwortlichkeit. Darüber hinaus gibt es eine Reihe von Diensten, die wöchentlich wechseln.
- Es gibt eine intensive Kooperation in den Klein- und Stufenteams sowie im Gesamtteam. Dazu hat jedes Stufenteam pro Halbjahr einen Teamtag und zusätzlich das Gesamtteam ein Teamwochenende.

Welche anderen pädagogischen Einflüsse haben das Konzept der FCS beeinflusst?:

– JAN AMOS COMENIUS, der Namensgeber unserer Schule, ist uns wichtig, weil er für grundlegende gewaltfreie Reformen steht. Seinen Satz: Gewalt sei fern von allen Dingen haben wir in unser Schulemblem aufgenommen. Comenius schaffte im 17. Jahrhundert Latein als Schulsprache ab. Er führte die Koedukation, also den gemeinsamen Unterricht von Jungen und Mädchen ein. Er ging mit den Schülern ähnlich wie später CELESTIN FREINET zu den Bauern und Handwerkern und ließ sie später das, was sie dort beobachtet und erfragt hatten, in theatralischer Form wiedergeben. Bei uns wird viel Theater gespielt, wobei die Stücke meistens von den Kindern erfunden werden. Dass Lernen möglichst an direkter Erfahrung anknüpfen soll, wobei es gut ist dazu so oft wie möglich die Schule zu verlassen, haben wir auch von COMENIUS gelernt. COMENIUS verstand sich in erster Linie als das demokratisch gewählte Oberhaupt der böhmischen Brüder, einer reformierten Gemeinde. Für ihn war die Schule eine politische und religiöse Notwendigkeit, für die die ganze Gemeinschaft verantwortlich war. Dieser Gedanke hat bei uns zu der Vorstellung der Schulgemeinde geführt. Nicht das Lehrkollegium oder die Schulleitung ist für die Schule verantwortlich, sondern alle. Deshalb versteht sich die FCS als Elternschule, um deutlich zu machen, dass Eltern bei uns an vielen Stellen Verantwortung übernehmen und Einfluss ausüben können: im Trägerverein, in den 14tägigen Elternabenden, in den verschiedenen Elterndiensten und -verantwortlichkeiten und in Lernangeboten, die sie eigenverantwortlich am Donnerstagnachmittag machen und bei der Erhaltung und Ausbau der Schulgebäude. Wir haben den Anspruch, dass wir – Eltern, Lehrer und Schüler – die FCS gemeinsam machen. Dazu müssen die Lehrer auf ihr Machtmonopol verzichten, das ihnen der Staat in der Regelschule einräumt. Umgekehrt müssen Schüler und Eltern auf das bei manchem tief verwurzelte Feindbild Lehrer verzichten und für sich und den Schulbetrieb Verantwortung übernehmen. Das setzt bei allen Beteiligten viel

Kooperations- und Konfliktbereitschaft voraus. Manchmal ist das schwer auszuhalten, aber am Ende lohnt es sich immer.

- Die Idee der Jahrgangsmischung geht auf den deutschen Reformpädagogen PETER PETERSEN[11] zurück, der als Professor in Jena als erster bewusst altersgemischte Gruppen einrichten ließ. Für ihn war Bildung in erster Linie soziale Bildung. Solche Herzensbildung, wie er das nannte, lasse sich in altersgemischten Gruppen leichter erwerben, weil sich dort jeder Schüler nacheinander in der Rolle des Lehrlings, Gesellen und Meisters erlebt. Altersgemischte Gruppen eignen sich besonders gut für die Integration behinderter Schüler. Für Petersen waren Rituale zur Strukturierung des Schulalltags wichtig, so z. B. die wöchentliche Feier am Anfang der Woche, in der die verschiedenen Stammgruppen der ganzen Schulgemeinde ausgewählte Arbeitsergebnisse vorstellen. Bei uns gibt es einmal im Monat den Monatskreis. Er wird von den Mitgliedern des Schülerrats geleitet.
- Die Idee, dass der Unterricht ein Lernangebot und keine Zwangsverpflichtung sein muss, wurde am radikalsten von ALEXANDER S. NEILL vertreten. In seiner berühmten Schule in Summerhill können die Schüler selbst entscheiden, ob sie am Unterricht teilnehmen wollen oder nicht. Bei uns müssen die Schüler entweder an einem Lernangebot teilnehmen oder an einer selbstgewählten Arbeit arbeiten, die sie mit einer Lehrperson abgesprochen haben. Mit zunehmendem Alter gibt es verpflichtende Kurse in den Lernbereichen, die in der Staatsschule den Hauptfächern entsprechen. Was uns mit NEILL verbindet, ist die Vorstellung, dass die Erwartungen, die wir an die Schüler stellen, mit ihnen ausgehandelt werden müssen. Das geschieht im Gruppenrat und in persönlichen Beratungsgesprächen.

[11] Informationen zur Jenaplanpädagogik gibt es bei der Jenaplan-Forschungsstelle an der Justus-Liebig-Universität Karl-Glöckner-Strasse 21 B, 6300 Gießen.

- In unserem Schulalltag gibt es viele Situationen, in denen die Schüler unter verschiedenen Angeboten wählen können, zum Beispiel bei den quartalsweise wechselnden Lehrer- und Elternangeboten, bei der Auswahl eines Gruppenthemas, bei der Wahl des Sportangebots und oft in der freien Arbeit. Mit zunehmendem Alter werden sie auch an der Planung und Vorbereitung von Angeboten beteiligt. In der freien Arbeitszeit müssen die Schüler nicht an einem Angebot teilnehmen, sondern können auch an einem selbst gewählten eigenen Projekt arbeiten. In meiner Stammgruppe machen die Lehrpersonen zu einem Thema dann ein Angebot, wenn sich mindestens fünf Schüler das wünschen. Für viele Schüler, nicht nur für die, die aus anderen Schulen zu uns kommen, sind diese vielen Wahlmöglichkeiten eine große Herausforderung. Die eigenen Interessen und Lernbedürfnisse genauso wichtig zu nehmen, wie das, was an Erwartungen von außen kommt, ist offensichtlich nicht nur für Erwachsene eine schwierige Sache.
- Von der Antipädagogik – ILLICH, VON BRAUNMÜHL, SCHÖNEBECK – stammt der Gedanke der Eigenverantwortung, der uns sehr wichtig ist. Nach unserer Vorstellung sind die Schüler allein für ihr Lernen verantwortlich. Die Lehrer sind für ihre Angebote und Feedbacks und die Eltern für die schulischen Rahmenbedingungen verantwortlich. Da, wo sich Verantwortungsbereiche überschneiden, muss das Ergebnis zwischen den Betroffenen ausgehandelt werden. Niemand kann und darf zum Lernen gezwungen werden. Bei FREINET findet sich dieser Gedanke in seinem Aufsatz über das Pferd, das keinen Durst hat. Die Erwachsenen haben dafür zu sorgen, dass Wasser vorhanden ist und dass das Pferd den Weg zur Tränke findet. Trinken muss es selbst.

Die Freie Comenius-Schule im Überblick

Die FCS wurde 1986 von einer Elterngruppe nach siebenjähriger Vorbereitungszeit gegründet und von der ersten rotgrünen Koalition in Hessen als private Ersatzschule genehmigt. Seit 1995 besteht die Sekundarstufe (Jahrgänge 7–10), die sich noch im Aufbau befindet. Die Schulgemeinde besteht aus ca. 120 Schülerinnen und Schülern, ihren Eltern, 16 Lehrerinnen und Lehrern, einer Leiterin der Geschäftsstelle, die auch unterrichtet, einem Hausmeister und einer wechselnden Zahl von Lehrbeauftragten. Unabhängig von uns gibt es auf dem Schulgelände noch eine Ausbildungsinitiative für langzeitarbeitslose Frauen (BAFF), die die Schulküche betreiben.

Die FCS ist eine Ganztagsschule, die an drei Tagen von 8 Uhr bis 15.30 Uhr geöffnet ist. An den beiden anderen Tagen – mittwochs und freitags – endet der Unterricht um 12.30 Uhr. Unterrichtet wird an der FCS in altersgemischten Gruppen. Behinderte Kinder werden integriert. Es gibt keine Noten bis zum 9. Schuljahr, keine Klassenarbeiten und keine Zeugnisse. Einmal im Jahr erhalten die Schüler einen Entwicklungsbericht, in dem die Stammgruppenlehrer die Entwicklung im vergangenen Schuljahr und den Lern- und Leistungsstand aus ihrer Sicht beschreiben. Am Ende des 10. Schuljahrs wird eine externe Prüfung durchgeführt, wobei die Prüfungskommission aus dem Rektor unserer staatlichen Bezugsschule in der Nachbarschaft, einem weiteren Fachlehrer dieser Schule und einem Lehrer der FCS besteht. Eine eigene Prüfungsordnung, mit der wir die besonderen Fähigkeiten unserer Schüler herausstellen und neue Prüfungsverfahren erproben wollten, wurde vom Land Hessen bis heute nicht genehmigt, obwohl sie auf Anregung des Kultusministeriums von einer gemischten Kommission von FCS- und Regelschullehrern ausgearbeitet worden war.

Weitere Informationen können bei der Geschäftsstelle der FCS angefordert werden. Hospitationen und Besichtigungen sind erwünscht.

Literatur

FREINET, CELESTIN: Die moderne französische Schule. Paderborn 1965.

FREINET, ELISE: Erziehung ohne Zwang. Stuttgart 1981.

HERING, HÖVEL (Hrsg.): Immer noch der Zeit voraus. Bremen 1996.

LE BOHEC, PAUL: Verstehen heißt Wiedererfinden. Bremen 1997.

LE BOHEC, PAUL: Patricks Zeichnungen. Bremen 1993.

PETERSEN, PETER: Führungslehre des Unterrichts. Weinheim 1969.

NEILL, ALEXANDER S.: Das Prinzip Summerhill. Reinbek 1972.

www.darmstadt.gmd.de/schulen/fcs

DETLEF HARDORP

Was will Waldorfpädagogik?

Die Waldorfschule war und ist Vorreiter

Gemeinsamer Unterricht für Jungen und Mädchen, zwei Fremdsprachen ab der ersten Klasse, Epochenunterricht (Blockunterricht), Gesamtschule von Klasse 1 bis 12, Verzicht auf Sitzenbleiben, künstlerische Gestaltung des Unterrichts, ausführliche Textzeugnisse, Verbindung von allgemeiner und beruflicher Bildung, Selbstverwaltung (Autonomie) der Schule – all das ist selbstverständlich an Waldorfschulen seit Gründung der ersten Waldorfschule im Jahre 1919; erst sehr viel später wurde einiges davon auch in die Unterrichtspraxis der „Regelschule“ aufgenommen.

Waldorfpädagogik will die kreativen Kräfte der Schüler von Grund auf entfalten. Anstatt mit vorwiegend vorgegebenen Formen zu arbeiten, die ggf. Lücken zum Ausfüllen bieten, ersetzen selbstgestaltete Epochenhefte weitgehend die Lehrbücher.

Soziale Kompetenzen entwickeln

Das Erüben sozialer *Kompetenzen* in einer möglichst stabilen Klassengemeinschaft von Schülern unterschiedlicher Begabung ist lebensnaher als ein notenorientiertes Lernen von Schülern derselben Begabungsbandbreite. Gymnasien berauben Real- und Hauptschulen ihrer Zugpferde. Das Herauslösen leistungsschwacher Schüler aus einer Klassengemeinschaft durch Sitzen bleiben setzt einen abstrakten Leistungsgedanken vor die soziale Tragfähigkeit einer Klassengemeinschaft. Waldorfschulen bauen dagegen auf das Lernen im gegenseitigen Miteinander. Denn schneller begreifende Schüler lernen am meisten, wenn sie Gelegenheit bekommen, langsamer begreifenden Schülern etwas zu erklären. Letztere lernen auch besser, wenn sie nicht ausschließlich auf die Erklärungen des Lehrers angewiesen sind. Das gemeinsame Lösen von Aufgaben in Gruppen mit unterschiedlichen Begabungen ist eine Herausforderung des Berufslebens, auf die Schule schon vorbereiten sollte.

Lernen an Bildern – Lernen durch Tun

Das Lernen im Grundschulalter ist noch nicht gedanklich abstrakt, sondern bildhaft konkret. Durch ein nachahmendes Einleben in die Bewegungsformen des Schreibens werden auch Gefühl und Willen angesprochen und die Buchstaben aus künstlerisch gestalteten Bildern herausgearbeitet. So werden das bildhafte Erleben und der Bewegungsdrang des Kindes aufgegriffen und zum Verständnis des jeweiligen Unterrichtsgegenstandes hingeführt. Unter dem Motto „Lernen durch Tun" wird so das Schreiben vor dem Lesen gelernt. Bilder, die die Schüler innerlich bewegen können, ermöglichen es, auch gefühlsmäßig in die mannigfaltigen Erscheinungen der Welt einzutauchen und sie allmählich von innen begrifflich zu konstituieren. In der Mittel- und Oberstufe tragen handwerklicher Unterricht und Betriebs- und Sozialpraktika zur lebenspraktischen Orientierung bei.

Lebendiges Unterrichten macht den Lehrer zur Autorität

Zufriedenheit mit einer Unterrichtsstunde sollte einen Lehrer nicht dazu verleiten, sie später zu wiederholen, so meinte RUDOLF STEINER (1861–1925), Begründer der Waldorfschule und der ihr zugrunde liegenden Menschenkunde. Denn wer sich am Leben orientiert, ist ständig in Verwandlung begriffen.

Auf der lebendigen Ausgestaltung des Unterrichtsinhaltes gründet die natürliche Autorität des Grundschullehrers. Das Wort „Autorität" ist immer wieder Quelle von Missverständnissen, wenn es fälschlicherweise mit „autoritär" assoziiert wird. Echte Autorität entsteht nur aus einem Vertrauensverhältnis zwischen Lehrer und Schüler. RUDOLF STEINER betont, dass es „unendlich wichtig" sei, dass das Grundschulkind an dem Erzieher bzw. Lehrer „eine selbstgewählte, freiwillig gewählte Autorität empfindet". Dessen muss sich der Lehrer erst als würdig erweisen. Eine autoritäre Haltung ist diesem Ideal genau entgegengesetzt.

Die menschenbildende Wirkung des Unterrichts hängt entscheidend davon ab, ob die Pädagogen versuchen, die Entwicklung der Kinder und Jugendlichen innerlich zu begleiten und dabei ihre eigene Begriffsbildung ständig in Fluss zu halten. Dass das nicht immer gelingt, gehört zum Spannungsfeld jeder Schule. Eine bewegliche Begriffsbildung kann sich keinem Menschenbild verschreiben. RUDOLF STEINER war der Auffassung, dass es keinen allumfassenden Standpunkt geben kann. Will man Mensch und Welt verstehen, muss man sich die Fähigkeit erarbeiten, immer wieder völlig neue Sichtweisen zu erproben.

Für seelische Qualitäten Sensibilität entwickeln

Auch die gesunde Entwicklung emotionaler Intelligenz soll an der Waldorfschule gefördert werden. Darum sollte der Lehrer für die verschiedenen seelischen Konstitutionen der Kinder Sensibilität entwickeln und sie in den Unterricht mit einbeziehen. So wird z. B. selbst der Rechenunterricht wesentlich abwechslungsreicher und spielerischer, wenn im Klassengespräch auch auf die Temperamente der Kinder Rücksicht genommen wird. Die vier klassischen Temperamente Choleriker, Sanguiniker, Melancholiker und Phlegmatiker sind dabei nur Anhaltspunkte.

Anthroposophie ist keine Lehre

Ein guter Unterricht fährt sich nicht in Einseitigkeiten fest, sondern atmet. Bloße Wissensvermittlung interessiert keinen jungen Menschen. Wenn der Unterricht aber künstlerisch-dramaturgisch gestaltet wird, indem im rhythmischen Wechsel Spannungen aufgebaut und wieder gelöst werden, wird Schule lebendig. Das kann an jeder Schule geschehen. Waldorfpädagogik versucht, lebendigen Unterricht künstlerisch durchzuführen und seine Voraussetzungen mit Bewusstsein zu durchleuchten. Letzteres kann man auch Anthroposophie nennen.

Anthroposophie ist kein von Rudolf Steiner fertig ersonnenes Weltbild, sondern eine bewusste Beziehung zum Geistigen im Menschen. Die Werke RUDOLF STEINERS können Begriffsbildungen anregen, die – richtig gehandhabt – eine Erkenntnis von seelisch-geistigen Realitäten und ein geistesgegenwärtiges Handeln fördern.

Waldorfschulen sind keine Weltanschauungsschulen

Die Vermittlung von Weltanschauungen – gleich welcher Art – würde der pädagogischen Grundintention der Waldorfpädagogik widersprechen. Gleichwohl haben alle Schüler die Möglichkeit, an einem Religionsunterricht der Konfessionen oder an einem freien christlichen Unterricht teilzunehmen. Bevor z. B. in Berlin Jüdische Schulen gegründet wurden, besuchten viele Schüler jüdischer Konfession die dortige Rudolf Steiner Schule, so dass für diese jüdischer Religionsunterricht eingerichtet werden konnte. Darüber hinaus werden an den meisten Waldorfschulen die großen christlichen Jahresfeste wie Ostern, Pfingsten, Johanni, Michaeli und Weihnachten von der gesamten Schulgemeinschaft gefeiert.

Mit den Keimkräften der Nacht arbeiten

In einer guten Unterrichtsstunde des Hauptunterrichts wird ein Waldorflehrer nicht alles bis zu Ende erklären, sondern bewusst wichtige Fragen offen lassen. In einer gesund durchschlafenen Nacht kann eine Frage im Unterbewussten geistig aufkeimen, so dass sie am nächsten Tag mit einem ganz anderen Tiefgang von den Schülern aus behandelt werden kann. Daran kann wiederum der Lehrer nur aus Geistesgegenwart mit seinem Unterricht anknüpfen, wobei er bereit sein muss, eventuell seinen vorbereiteten Stoff über Bord zu werfen. Dann ist aus der „Belehrungsanstalt Schule" eine lebendige Lernwerkstatt, ein Haus des Lernens, geworden, die das Geistige des Menschen aus der Nacht bewusst in den Lernprozess mit einbezieht.

Geistige Beweglichkeit gründet in körperlicher und seelischer Beweglichkeit

Auch die körperliche Grundlage des Lernens wird besonders gepflegt. „In den körperlichen Handlungen hat die Entwicklungspsychologie die Grundlage der Intelligenz wahrgenommen. ... Noch die abstraktesten Leistungen unseres erwachsenen Vermögens haben irgendwann im Entwicklungsgang eine körperliche Handlung zu ihrer Bedingung gehabt" (JÜRGEN FUNKE, Sportpädagoge). Das ist eine Grunderkenntnis in der Waldorfpädagogik. Praktisch bedeutet das: Neben dem Sport- und Eurythmieunterricht werden durch Plastizieren, Schnitzen, Tischlern, Metallarbeiten, Schmieden, Steinmetzen, Stricken, Häkeln, Sticken, Schneidern, Filzen, Flechten, Schuhmachen, Spinnen, Weben, Flöten, Leierspielen, Malen, Zeichnen und Buchbinden die unterschiedlichsten Bewegungsintelligenzen ausgebildet. Eurythmie arbeitet u.a. mit Körpersprache als eigens entwickelte Kunstform, um Musik und Sprache an der Bewegung sichtbar zu machen. Die Förderung der künstlerischen Beweglichkeit des Körpers bildet die beste Grundlage für die Entwicklung geistiger Beweglichkeit. Wissen bekommt in der heutigen Zeit eine zunehmend kürzere Halbwertzeit. Das Wichtigste, was eine Schule ausbilden kann, ist die Fähigkeit zu inneren Umbildungen, die möglichst bis ins hohe Alter erhalten bleibt.

Waldorfschule und Computer

Junge Menschen leiden heutzutage nicht an Informationsdefizit oder fehlendem Zugang zu Mattscheibenmedien. Schule sollte Menschen untereinander und mit der Welt in einem Klima menschlicher Wärme real vernetzen. Genuine Sprachkompetenz kann nur in der Zuwendung zum Mitmenschen und nicht anhand eines technischen Surrogats entwickelt werden. Computer Lernprogramme gehören nicht in die Grundschule. – Im Mittel- und Oberstufenbereich hingegen nimmt die Auseinandersetzung mit modernster Technik eine wichtige Stellung ein. Das Fach Technologie wurde schon an der ersten Waldorfschule von RUDOLF STEINER eingeführt und später an manchen Waldorfschulen auch der Informatikunterricht, lange vor allen anderen Schulen. Heute gehört es zum integralen Bestandteil der Waldorfschule, Computertechnik durchschaubar und handhabbar zu machen.

Bewegliche Unterrichtsform: Epochenunterricht

Eine Besonderheit von Waldorfschulen ist z. B. der *Hauptunterricht* in den ersten zwei Schulstunden am Morgen, in denen generell der Klassenlehrer (und ab Klasse 9 der Fachlehrer) den Unterricht in Epochen von mehreren Wochen pro Fach erteilt. Klassenlehrer geben in der 7. und 8. Klasse auch öfter Epochen an Oberstufenlehrer ab. Außer bei Fremdsprachen, Musik, Sport, Eurythmie, Werk-, Handarbeits- und Religionsunterricht gibt es Hauptunterrichtsepochen in allen Fächern. Nicht wenige Waldorfschulen gehen allerdings dazu über, auch andere Fächer am späteren Vormittag epochenweise zu unterrichten.

Im Hauptunterricht können auch große Klassen unterrichtet werden; im Fachunterricht wie z. B. bei Fremdsprachen werden die Klassen oft halbiert, im Werkunterricht eventuell gedrittelt. Der Fremdsprachenunterricht beginnt in Deutschland schon in der ersten Klasse mit Englisch und Russisch oder Französisch.

Abschlüsse bzw. Aufschlüsse

Zu Aufschlüssen führen, nicht zu Abschlüssen sollte das Ziel jeder Erziehung sein, also die Vorbereitung auf eine Biographie, die nach der Schulzeit weitergeht. Dennoch haben auch an der Waldorfschule die Abschlüsse ihren notwendigen Platz. Die Waldorfschulzeit beträgt zwölf Jahre, in denen der Hauptschulabschluss bzw. die Mittlere Reife, in einigen Ländern auch die Fachhochschulreife erworben werden kann. In einem angehängten 13. Schuljahr können Schüler meistens an der Waldorfschule selbst auch die *Abiturprüfung* vor einer staatlichen Prüfungskommission (unter Beteiligung der Waldorflehrer) ablegen. Trotz länderweise unterschiedlichen Bedingungen ist diese immer bundesweit anerkannt. Die Quote von Schülern, die einen entsprechenden Abschluss erreichen, liegt meist ebenso hoch oder höher als an staatlichen Schulen.

Individuelle Beurteilung: Text und Notenzeugnisse

Bei allen Abschlussqualifikationen werden Notenzeugnisse erstellt. Ansonsten werden innerhalb der Waldorfschulzeit detaillierte schriftliche Charakterisierungen des Schülers und seiner Leistungen von jedem Lehrer und in jedem Fach gegeben, die einen genaueren Einblick in die Entwicklung und Befindlichkeit des Schülers geben. Formale Versetzungsentscheidungen und damit ein „Sitzen bleiben“ gibt es nicht.

Elternbeiträge

Da Schulen in freier Trägerschaft 20 % bis 40 % weniger finanzielle Unterstützung als staatliche Schulen erhalten, klafft eine Finanzierungslücke, die bei Waldorfschulen monatliche Elternbeiträge von 70 bis 200 Euro, regional unterschiedlich, notwendig macht. Elternbeiträge werden aber stets abhängig vom Einkommen in Absprache mit den Eltern festgelegt, um einen Schulbesuch nicht aus finanziellen Gründen scheitern zu lassen.

Waldorfpädagogik – weltweit und international

Der von RUDOLF STEINER entwickelte pädagogische Ansatz hat sich in den unterschiedlichsten kulturellen und sozialen Umfeldern unter manchmal schwierigsten Bedingungen umgesetzt, z. B. in den Favelas Brasiliens oder als gemischtrassige Schule unter der Apartheidspolitik Südafrikas. So gab es zum Jahrtausendwechsel über 800 Waldorfschulen weltweit, drei Viertel davon in Europa. Die Hälfte der europäischen Waldorfschulen befinden sich in den Niederlanden und in Deutschland. Jedes Jahr kommen derzeit ca. 25 Schulen hinzu. Waldorfschulen sind damit die größte von Staat und Kirche unabhängige Schulbewegung. Sie sind nicht zentral organisiert, schließen sich allerdings in regionalen, nationalen und internationalen Verbänden zusammen und unterhalten eine eigene Lehrerausbildung in derzeit 64 Lehrerseminaren und Hochschulen sowie einer Vielzahl berufsbegleitender Seminare.

Literatur

Es gibt eine sehr umfangreiche Literatur zur Waldorfpädagogik. Einige deutschsprachigen Bücher seien herausgegriffen:

LINDENBERG, CHRISTOPH: Waldorfschulen: Angstfrei lernen, selbstbewusst handeln. Praxis eines verkannten Schulmodells. Rowohlt 1975.

KIERSCH, JOHANNES: Die Waldorfpädagogik. Eine Einführung in die Pädagogik Rudolf Steiners. Reihe Praxis Anthroposophie 47, Verlag Freies Geistesleben, 1997.

LEBER, STEFAN (Hrsg.): Waldorfschule heute. Einführung in die Lebensformen einer Pädagogik, Reihe Praxis Anthroposophie 21, Verlag Freies Geistesleben, 2. Aufl. 1996

Eine Betrachtung im Zusammenhang mit Montessori- und Freinetpädagogik findet man in:

HELLMICH, ACHIM und TEIGELER, PETER (Hrsg.): Montessori-, Freinet-, Waldorfpädagogik. Konzeption und aktuelle Praxis. Weinheim 1994.

Die „Erziehungskunst", eine Monatsschrift zur Pädagogik Rudolf Steiners, ist über den Buchhandel erhältlich und informiert über die Praxis der Waldorfpädagogik.

Der Film „Das Lernen lieben" porträtiert die Unterrichtspraxis der Freien Waldorfschulen in Deutschland. Er ist als Video (Dauer: 75 Minuten) beim Verlag Freies Geistesleben, Landhausstr. 82, D-70190 Stuttgart zu beziehen, (0711) 2853200, Fax 2853210.

Der Film „AugenBlicke in die Zukunft – Waldorf-Pädagogik weltweit" zeigt Waldorfpädagogik in Süd-Afrika, Russland, Israel, Brasilien und Überlingen. Er ist als Video (Dauer: 60 Minuten) bei den „Freunden der Erziehungskunst Rudolf Steiners e.V.", Köpenickerstr. 175, D-10997 Berlin zu beziehen: (030) 61702630, Fax: (030) 61702633.

Eine Übersicht über die nach der Pädagogik Rudolf Steiners arbeitenden Schulen national oder international sowie eine Liste der Lehrerseminare sowie der berufsbegleitenden Lehrerbildungs-Kurse kann vom Bund der Freien Waldorfschulen, Heidehofstr. 32, D-70184 Stuttgart, bezogen werden, (0711) 21042-0, Fax 21042-19.

Ausführlichere Informationen sind im Internet z. B. unter www.waldorf.net oder www.waldorfschule.de erhältlich.

MARIA CANISIA ENGL

Chancengerechte Mädchen- und Frauenbildung – das Beispiel des Dr.-Johanna-Decker-Gymnasiums / der Realschule, Amberg

Das Erziehungsprogramm einer Schule überzeugt nur und trägt dann auch Früchte, wenn es authentisch und sozusagen maßgeschneidert ist. Dies bedeutet, dass es nicht isoliert von der konkreten einmaligen Geschichte und Gestalt der Schule entstehen und Bestand haben kann, dass es sich vielmehr aus ihrer ursprünglichen Zielsetzung organisch entfaltet.

Geschichte, Selbstverständnis, Daten

Die Dr.-Johanna-Decker-Schule in Amberg entstand als erste höhere Mädchenschule der Oberpfalz. Sie wurde im Jahre 1839 von der Gründerin der Kongregation der Armen Schulschwestern von Unserer Lieben Frau[1], MARIA THERESIA GERHARDINGER (1797–1879), ins Leben gerufen, um Mädchen aus „niederen Ständen" eine fundierte Bildung zu vermitteln und ihnen so den Weg in Beruf und Unabhängigkeit zu eröffnen.

[1] Die Kongregation der Armen Schulschwestern von Unserer Lieben Frau ist ein katholischer Frauenorden, der im Jahre 1833 in Regensburg mit der Zielsetzung gegründet wurde, Kindern und insbesondere Mädchen aus den „unteren Ständen" Bildungsmöglichkeiten zu eröffnen und sie auf ein selbstständiges Leben vorzubereiten. Heute ist der Orden als internationale Gemeinschaft in mehr als 30 Ländern Europas, Nord- und Südamerikas, Afrikas, Asiens und Ozeaniens verbreitet. Seine rund 4.800 Mitglieder arbeiten nach wie vor in Unterricht und Erziehung im weitesten Sinn, in Kindergärten, unterschiedlichen Schularten und an Universitäten; als Sozialarbeiterinnen, Anwältinnen und Ärztinnen auch in der Betreuung sozial Schwacher und ethnischer Minderheiten.

Gegenwärtig umfasst die Schule ein Gymnasium mit drei Ausbildungsrichtungen[2] und eine sich im Umbau von der Vier- zur Sechsstufigkeit befindliche Realschule mit einem wirtschaftskundlichen und einem hauswirtschaftlichen Zweig. Sie wird von mehr als 1100 Schülerinnen aus der mittleren Oberpfalz besucht. Das Durchschnittsalter der 70 Lehrerinnen und Lehrer (darunter drei Ordensfrauen), die an ihr unterrichten, beträgt rund 42 Jahre. Seit 1978 trägt die Schule den Namen einer ihrer ehemaligen Schülerinnen, der im Rhodesischen Bürgerkrieg ermordeten Missionsärztin Dr. JOHANNA DECKER (1918–1977).

Aus der Erkenntnis, dass auch in unserer bundesdeutschen Gesellschaft den Frauen wie überall auf unserer Welt absolut nicht die gleichen Möglichkeiten offen stehen wie Männern, dass also die Gleichstellung der Geschlechter als Option immer noch offen ist, sehen wir uns als Mädchenschule nicht nur aus bildungs- bzw. gesellschaftspolitischen Erwägungen, sondern vor allem aus pädagogischer Verantwortung verpflichtet, wesentlich zur Lösung dieses Problems beizutragen.

Bedingungen der *Chancengleichheit*

Wir haben deshalb an unserer Schule im Laufe der letzten drei Jahrzehnte ein Bildungskonzept entwickelt, das nachweislich Mädchen und jungen Frauen in unserer Gesellschaft jene Schlüsselqualifikationen vermitteln kann, welche ihnen gleiche Chancen in Bildung und Beruf eröffnen.

Chancengleichheit können Frauen nur erreichen, wenn sie über

- qualifizierte wissenschaftliche bzw. praktische Kompetenz,
- Kreativität,
- Ichstärke,

[2] einer neusprachlichen, einer mathematisch-naturwissenschaftlichen und einer sozialwissenschaftlichen

- auf realistischer Selbsteinschätzung basierendes hohes Selbstwertgefühl und
- gesundes Selbstbewusstsein verfügen.

Nur wenn es Frauen gelingt, selbstständig und aus eigener Kraft Gleichstellung in Bildung, Beruf, Gesellschaft und Kirche zu erzielen, sind sie wirklich frei und dann auch in der Lage, Chancen wahrzunehmen. So lange nämlich Chancengleichheit letztlich nur vom Wohlwollen, vielleicht sogar nur vom politischen Kalkül der dominierenden gesellschaftlichen (sprich: Geschlechts-) Gruppe abhängt, wird das Verhältnis zwischen Männern und Frauen zumindest partiell ein ungesund rivalisierendes, gespanntes, neurotisierendes sein und partnerschaftliche Zusammenarbeit unmöglich machen. Gerade das partnerschaftliche Verhältnis der Geschlechter ist jedoch das anzustrebende Ziel, damit in unserer Welt im Sinne der Beschlüsse der UN-Konferenz von 1992 in Rio de Janeiro eine „Bildung für nachhaltige Entwicklung“[3] überhaupt zielgerade in Gang kommen kann.

Motto und Zielvorgaben

Wie bereits angedeutet kann die Zielsetzung für die Gründung unserer Schule nach heutigem Sprachgebrauch als durchaus emanzipatorisch bezeichnet werden: Lange vor entsprechenden staatlichen Ansätzen wollte Maria Theresia Gerhardinger zu Beginn des 19. Jahrhunderts jungen Mädchen aus der Mittel- und Unterschicht die Möglichkeit einer höheren Bildung und damit eine Chance für Selbstbestimmung, Unabhängigkeit und Freiheit eröffnen. Der Verwirklichung dieser Ziele fühlen wir uns nach wie vor verpflichtet.

[3] Der „Bildung für nachhaltige Entwicklung“ ist in der Bundesrepublik Deutschland eine groß angelegte Initiative der Bund-Länder-Kommission für Bildungsplanung und Forschungsförderung gewidmet. Mit unserer Realschule gehören wir zu den 11 Schulen Bayerns, die in einem auf fünf Jahre angelegten Modellversuch praktikable Lehrpläne bzw. Unterrichtsmodelle erarbeiten.

Die Erfahrung lehrt, dass der Erfolg der alltäglichen schulischen Arbeit wesentlich von den klaren Zielvorgaben abhängt, die von allen getragen werden, die alle im Bewusstsein haben und die das Klima der Schule bestimmen. Die Definition dieser Ziele muss einfach, „griffig“ und einsichtig sein.

Unser Motto „LEBEN IN FÜLLE“ (Joh. 10,10) bezeichnet als Vorgaben für unsere pädagogische Arbeit die Vermittlung bzw. Einübung von

- Wissen und Erkenntnis,
- Kreativität,
- Glaube an Gott,
- Freiheit und Verantwortung.

Kritische Offenheit

Zu Wissen und Erkenntnis wollen wir durch zielbewussten, auf möglichst hohe Effizienz ausgerichteten Unterricht führen. Deshalb legen wir großen Wert auf bestmögliche Ausstattung der Schule mit Lehr- und Lernmitteln und auf optimales Arbeitsklima.

Wir wollen unsere Schülerinnen hinführen zu vorurteilsfreier und zugleich kritischer Offenheit[4] gegenüber Wissenschaft und Kultur. Deshalb üben wir mit ihnen die richtigen Arbeitstechniken und vor allem die Fähigkeit zu differenzierendem Denken als Voraussetzung rationaler Orientierung und Entscheidungsfindung ein. Der Unterrichtsstoff ist nicht nur Gegenstand der Wissensvermittlung, sondern stets zugleich Übungsmaterial für spezifische Methoden der Erkenntnisgewinnung.

Studienfahrten, Fach- und Jahrgangsstufen übergreifende Arbeit an Projekten[5], erfolgreiche Beteiligung an Wettbewerben

[4] Diesem Anliegen dienen u. a. auch die Austausch-Programme mit unseren Partnerschulen in Luxemburg und im State New Jersey, USA.

[5] Z. B. zum Goethe-Jahr oder zur Geschichte der Schule während des Nationalsozialismus. Die beiden letzten Projekttage standen unter dem Thema „Der Mensch ist, was er isst“ und „Im Zeichen des Wassers“.

des Landes und Bundes sowie die häufige Vorbereitung und Durchführung von Ausstellungen zu aktuellen Themen aus Kultur, Gesellschaftspolitik, Geschichte, Naturwissenschaft etc. in der Pausenhalle lockern nicht nur durch Praxisbezug das Gleichmaß des Schulalltags auf, sondern vertiefen und erweitern Wissen und Erkenntnis.

Ganzheitliches Lernen und Mädchenbildung

Wir wissen nicht nur aus der Literatur, sondern aus Erfahrung, dass junge Mädchen ganzheitlich lernen, d. h. nicht einseitig kognitiv orientiert sind, sondern im Prozess des Lernens stets auch emotional angesprochen und beschäftigt sein wollen. Praktische Anwendung interessiert sie weit mehr als theoretische Erörterung.[6] Behagt ihnen der Stoff oder die Art der Vermittlung nicht, versinken sie in Passivität. Diese Einsichten fordern uns zu ständiger didaktischer Überprüfung und methodischer Verbesserung heraus und halten uns pädagogisch „in Schwung“.

Bedeutung musischer Fächer

Unsere Überlegungen zur unablässigen Verbesserung der Lernsituation an unserer Schule und das Wissen um die Tatsache, dass Leben seine Lebendigkeit und Qualität in der Kreativität erweist, sind der Hauptgrund dafür, dass die musischen Fächer einen besonders hohen Stellenwert in unserem Konzept haben. Wir unterhalten mehrere Chöre, bieten eine breite Auswahl an Instrumentalunterricht an, haben in den letzten drei Jahren drei CDs produziert, pflegen mit besonderer Aufmerksamkeit kreatives Schreiben (ggf. auch in Form von Facharbeiten), Jazztanz und Schultheater.

---

[6] Diese Tatsache bietet eine wichtige Begründung für die Notwendigkeit von Mädchenbildung und monoedukativer Schulen.

Mit unserem literarischen Wettbewerb „Die Blaue Barke“ und regelmäßigen Konzert- und Theaterabenden unserer Schülerinnen fördern wir nicht nur deren Kreativität, sondern auch ihre Fähigkeit, sich über die Schule hinaus vor einer breiteren Öffentlichkeit darzustellen.

Wir begrüßen jede Initiative von Eltern, Schülerinnen und Mitgliedern des Kollegiums zur Verlebendigung schulischen Lebens und fördern sie auf jede nur mögliche Weise. Dabei kommt uns sehr zustatten, dass wir über einen sehr schönen und ausgezeichnet ausgestatteten Festsaal mit großer Bühne verfügen, der sich hervorragend als Konzert- und Theatersaal verwenden lässt.

Auszeichnungen und Preise

Der Förderung von Kreativität im weitesten Sinne dienen auch unsere verschiedenen Auszeichnungen und Preise. Mit ihnen wollen wir besonderes künstlerisches und soziales Engagement angemessen würdigen: Die „Medaille für besondere Verdienste um die Schulgemeinschaft“, die alljährlich an Abiturientinnen und Absolventinnen der Realschule verliehen wird, die „Theresia-Gerhardinger-Medaille“ für herausragende Verdienste von Mitgliedern des Kollegiums und Förderern unserer Schule sowie zuletzt „Die Blaue Barke“ im Literarischen Wettbewerb.

Glaube an Gott und angstfreies Leben

Unser pädagogisches Konzept gründet u. a. in der Überzeugung, dass in einer pluralistischen Gesellschaft, deren postmoderne Weltsicht von der Relativitätstheorie Einsteins und immer neuen kosmologischen Erkenntnissen geprägt ist, der Glaube an Gott nicht nur (die heute als notwendig wiederentdeckte) Wertorientierung, sondern auch eine tragfähige Basis für ein möglichst angstfreies, sinnerfülltes Leben bietet, eine Basis für tatkräftiges Zupacken, mutige, doch stets faire und tolerante Stellungnahme und entschiedenes, beherztes soziales Engagement.

Inmitten der Vielzahl der in unserer Gesellschaft vorhandenen „Welten“ verstehen wir unsere Schule als die Welt, in der der Glaube an den Dreieinigen Gott gleichsam wie Luft geatmet und ganz selbstverständlich gemeinsam gelebt wird. Hier sollen junge Mädchen, die in ihren Familien nicht selten Zerrissenheit, Orientierungslosigkeit und ständigen Streit erleben, die Welt des Glaubens als Raum der Sicherheit, Geborgenheit und verlässlichen Gemeinschaft erfahren.

Religionspädagogik

Der Entfaltung und Vertiefung des gläubigen Bewusstseins unserer Schülerinnen dienen die gezielte Vorbereitung und Feier der großen Feste des Kirchenjahres, die gemeinsame Feier der Eucharistie in den großen Schulgottesdiensten am Anfang und Ende des Schuljahres, zu festlichen Anlässen, an Aschermittwoch und vor Ostern sowie nicht zuletzt in den wöchentlichen, von den einzelnen Klassen gestalteten Schülergottesdiensten; ferner die intensive Firmvorbereitung, die Glaubensseminare und Besinnungstage für einzelne Klassenstufen sowie die jährliche Schulwallfahrt. So wichtig alle diese Momente in unserem religionspädagogischen Konzept auch sein mögen, sie alle versandeten schließlich als toter Aktionismus, fehlte das in seiner Unaufdringlichkeit überzeugende selbstverständliche Beispiel gelebten Glaubens der Lehrerinnen und Lehrer.

Unser religionspädagogisches Konzept ist entworfen für das junge Mädchen, das lernen will, wie es in dieser Welt der Kriege, Bedrohungen und Katastrophen, der verwirrenden Informations- und Meinungsvielfalt frei, verantwortlich, menschenwürdig und sinnerfüllt leben und erfahren kann, was Lebensglück ist. Dieses Ziel ist nicht durch Indoktrination oder gar irgendwelchen Druck zu erreichen, sondern allein durch das glaubwürdige Zeugnis vom Geist Jesu Christi.

Freiheit und Verantwortung

Dieser Geist ist vor allem ein Geist der Menschenfreundlichkeit und der Freiheit. Und darum gehören zur Fülle des Lebens, die wir anstreben, wesentlich personale Freiheit und Verantwortung. Sie gilt es unablässig einzuüben. So setzen wir bewusst auch Grenzen, machen jedoch immer ihre Sinnhaftigkeit bzw. Notwendigkeit einsichtig. Wir üben mit unseren Schülerinnen das Finden und Durchtragen von Entscheidungen ein, zeigen ihnen, dass Gehorsam nur dann menschenwürdig ist, wenn er nicht in Unterwerfung, sondern in Zustimmung besteht. Wir legen großen Wert auf die je angemessene Form von Lebensäußerungen, lehnen jedoch gerade deshalb jede Art von Formalismus ab. So erziehen wir z. B. gezielt zum Fragen nach dem Sinn der je konkreten Anordnung.

Auf allen Ebenen pädagogischer Entscheidungsfindung beteiligen wir möglichst alle davon Betroffenen, also nicht nur die Lehrerinnen und Lehrer, sondern auch die Schülerinnen und deren Eltern. Wir schufen uns ein eigenes Modell der Schülermitverantwortung[7], stehen auch der jüngsten Schülerin aufrichtig Rede und Antwort, handeln als Pädagoginnen und Pädagogen berechenbar und konsequent, eröffnen zunehmend größere Freiräume für Entscheidung, stellen uns der Verantwortung vor den Schülerinnen und scheuen uns auch nicht, im Sinne wirklicher Autorität unsere Schülerinnen zu Pflicht und Verantwortung zu rufen.

---

[7] Es soll durch seine basisdemokratische Struktur möglichst jede Schülerin zu aktiver Mitarbeit motivieren: Jede Klasse wählt ein Klassenforum von drei Mitgliedern (die Kollegstufe fünf). Diese bilden jeweils das Unter-, Mittel- und Oberstufenforum. Jedes dieser Foren wählt je drei Sprecherinnen, aus denen sich der Schülerinnen-Ausschuss der Schülermitverantwortung zusammensetzt. Die Mitglieder dieses „Neunerrates" sind grundsätzlich gleichberechtigt. Die Vertretung nach außen übernimmt von Fall zu Fall eine Schülerin der Oberstufe.

Soziale Einsätze

Engagement und soziale Verantwortung üben wir mit unseren Schülerinnen u. a. durch soziale Einsätze bei Lernbehinderten oder Kindern von Spätaussiedlern ein. Eine Gruppe von Schülerinnen, Lehrerinnen und Lehrern arbeitet für SHALOM, das „Internationale Netzwerk der A. Schulschwestern v.U.L.Fr. für Frieden, Gerechtigkeit und Bewahrung der Schöpfung". Die Gruppe informiert an einer Stellwand regelmäßig über weltweite soziale Probleme, führt vor Weihnachten und Ostern Aktionen und Sammlungen durch, um finanzielle Mittel zur Linderung von Not zu gewinnen. Seit diesem Jahr finanziert sie damit das Studium zweier junger Frauen in El Salvador.

Ich-Stärke, Selbstvertrauen, weibliche Identität

Unserer Verantwortung stets bewusst geben wir eigene Fehler offen zu und sorgen nach Möglichkeit für Wiedergutmachung des durch uns verursachten Schadens.

Auch auf diese Weise wollen wir unsere Schülerinnen befähigen, realistisches Selbstwertgefühl, Vertrauen in die eigenen Kräfte, IchStärke und Wertebewusstsein zu entwickeln, damit sie immer mehr in der Lage sind, Entscheidungen frei zu treffen und zu verantworten, selbstkritisch die eigene Meinung zu überprüfen, der gewonnenen Einsicht auch gegen Widerstände zu folgen und so zu erfahren, worin personale, d. h. wahre Freiheit besteht[8].

Das Wahrnehmen von Chancen, das Eintreten für Chancengleichheit setzt ein hohes Maß an Identität voraus. Sie zu entwickeln und zu festigen, ist für uns unmittelbares pädagogisches Ziel, das wir nicht nur im Unterricht durch die Art der

8 Dieser Zielsetzung dient auch das von uns eingeführte einstündige Fach „Lebenskunst" in der 5. Jahrgangsstufe, dessen Lehrplan wir ständig weiterentwickeln.

Gestaltung und ggf. die Auswahl der Stoffe anstreben, sondern auch durch geeignete Aktionen und Projekte.

So führten wir z. B. im Herbst 1999 mit der amerikanischen Kommunikationswissenschaftlerin Dr. Barbara Valuckas eine zweisprachige Projektwoche für die Jahrgangsstufen 8 bis 13 durch unter dem Thema „Women on the threshold of the third Millennium – Women can Change the World".

Daraus erwuchs als fortdauernde Einrichtung die „Galerie bedeutender Frauen". Inzwischen schmücken bereits die Portraits und Biografien von 13 Frauen unterschiedlicher Herkunft, Bildung und Tätigkeit aus aller Welt einen Flur unserer Schule.

Ständige Fortschreibung des Konzepts

Diese knappe Skizzierung unseres Erziehungskonzepts wäre unvollständig ohne die ausdrückliche Feststellung, dass es für uns nicht das Wichtigste, sondern lediglich eine Art Koordinatensystem ist, das der Orientierung dient und das Leben erleichtert, aber eben nur, wenn das Konzept jeden Tag neu umgesetzt, d. h. ständig ergänzt, verändert und bewusst gelebt wird.

Bei der Verwirklichung unseres Konzepts setzen wir vor allem auf

- die Konzentration aller Kräfte und Mittel
- Ganzheitlichkeit,
- Personalität,
- Nachhaltigkeit.

Ganzheitliche Förderung

Im Mittelpunkt unseres Interesses und unserer Pädagogik steht das je konkrete junge Mädchen, dessen Begabungen wir fördern, dessen Anlagen wir zu voller Entfaltung bringen wollen. Wir gehen auf seine Eigenart gezielt ein und stellen unseren Unterricht darauf ab. Dies gelingt umso leichter, als wir als freie katholische Schule in unseren Unterrichtsmethoden nicht an staatliche Vorgaben gebunden sind, d. h., dass wir die vorhandenen Freiräume voll nutzen.

Dabei geht es uns wesentlich um eine ganzheitliche Förderung, eine möglichst gleichzeitige und gleichmäßige, d.h. harmonische Schulung und Entwicklung aller körperlichen, geistigen und seelischen Kräfte; denn wir sind überzeugt, dass die jungen Mädchen nur so sich selbst kennenlernen und die für ein geglücktes Leben notwendige Sozialkompetenz, Konfliktfähigkeit und Frustrationstoleranz erwerben. Sie sollen vor allem auch lernen, dass es unrealistisch und deshalb falsch ist, Veränderungen oder Verbesserungen von anderen zu erwarten, ohne den eigenen Beitrag zu leisten.

Wir lockern den Schulalltag auf durch viele musische, künstlerische, zur Kreativität ermutigende Akzente und erzielen auf diese Weise, dass unsere Schülerinnen Spaß an diszipliniertem wissenschaftlichen Arbeiten gewinnen und darin auch beachtliche Erfolge erzielen.

Dies setzt allerdings eine weitere Komponente voraus: Die Erfahrung, dass man Mensch nur im menschenwürdigen Umgang mit Menschen wird. Deshalb legen wir größten Wert auf offene, respektvolle, faire und gute persönliche Beziehungen untereinander sowie auf das Erleben von Schönheit und Harmonie.[9] Auf diese Weise üben wir die für das persönliche Glück und die Gemeinschaft so wichtigen sozialen Tugenden der Ausgeglichenheit, Aufmerksamkeit, der Rücksicht und des tatkräftigen Eintretens für Schwächere ein.

---

[9] Wir unterrichten in einer sehr gepflegten Schulanlage, die in ihrem Kern auf ein barockes Kloster aus dem 17. Jahrhundert mit z.T. herrlichen Stuckdecken zurückgeht.

Leitprinzip Nachhaltigkeit

Alle unsere diesbezüglichen Aktionen, Programme, „Unternehmungen“ stehen unter der grundsätzlichen Vorgabe der Nachhaltigkeit. Wie wir unsere Einzelaktionen kräfteökonomisch vernetzen, so sorgen wir auch gezielt dafür, dass sie nicht wie ein einmaliges Feuerwerk am Himmel der Erinnerung verglühen.[10] Deshalb planen wir sie so, dass möglichst viele Schülerinnen bereits an der Vorbereitung beteiligt sind, dass die Aktion zum persönlichen Erlebnis und zusammen mit anderen Erlebnissen als wohltuendes Klima der Kooperation und Gemeinschaft erfahren wird.

Ergebnisse

Der Wert eines pädagogischen Konzepts erweist sich an den Ergebnissen, die es zeitigt. Nicht nur, dass wir stets ein Haus vergnügter und quicklebendiger Mädchen haben, die sich mit ihrer Schule identifizieren und stolz auf sie sind, nicht nur dass wir in den letzten Jahren etwa ein Drittel der Bewerberinnen aus Raumgründen nicht aufnehmen konnten, unsere Realschulabsolventinnen genießen bei der heimischen Wirtschaft einen hervorragenden Ruf und machen zumeist sehr schnell berufliche Karriere. Und die überwiegende Mehrzahl unserer Abiturientinnen absolviert mit z. T. sehr beachtlichen Erfolgen ein Hochschulstudium. Nicht wenige haben auch herausragende wissenschaftliche Leistungen aufzuweisen: So entdeckte vor wenigen Jahren eine Biologie-Doktorandin ein bislang unbekanntes Protein und wurde mit 28 Jahren als Dozentin an die eidgenössische Hochschule in Zürich berufen. Die Habilitationsschrift einer anderen ehemaligen Schülerin

[10] Eine wesentliche Ursache für das Scheitern unzähliger pädagogischer Reformansätze ist sicherlich darin zu sehen, dass sie ohne gemeinsame Zielprojektion sich in stets neuen und möglichst spektakulär aufgeputzten Einzelprojekten bzw. Aktionen erschöpfen, wenn nicht gegenseitig außer Kraft setzen.

wurde an der Universität Regensburg als beste des Jahres ausgezeichnet. Und – um ein drittes Beispiel zu nennen – Prof. Dr. HERTA FLOR, vor ihrem Wechsel nach Mannheim ab 1995 bis April 2000 in Berlin Inhaberin der C-4-Professur für klinische Psychologie an der Humboldt–Universität, legte an unserem Gymnasium 1975 als Jahrgangsbeste die Abiturprüfung ab. Während ihres Studiums war sie Stipendiatin der bayerischen Hochbegabtenförderung sowie der Yale University, USA.[11]

Das Schulklima und seine Faktoren

Es würde den Rahmen dieses Aufsatzes sprengen, auch nur einigermaßen konkret und ausführlich auf unsere Methodik und Didaktik einzugehen, doch ist es unumgänglich, das Klima und seine wichtigsten Faktoren kurz zu beschreiben, die letztlich die Qualität und das Leben der Schule bestimmen.[12]

Das Kollegium

Da das Klima einer schulischen Einrichtung wesentlich von den Lehrerinnen und Lehrern abhängt, kommt an einer Schule unseres Rechtsstatus und unserer Prägung der Auswahl und Führung geeigneter Lehrerpersönlichkeiten allerhöchste Bedeutung zu. Ein Erziehungskonzept wie das oben skizzierte kann nämlich nur von Pädagogen verwirklicht und weiterentwickelt werden, die sich damit voll identifizieren. Dies wiederum ist ihnen nur möglich, wenn sie primär den Lehrberuf nicht deshalb ergriffen haben, damit sie in den Genuss beamtenrechtlicher Vergünstigungen kommen, sondern weil sie ihren Einsatz für junge Menschen als persönliche Berufung betrachten. Was wir nämlich gemeinhin als typische Beamtenmentalität bezeichnen, ist nur geeignet, jede wahre Schulreform schon im Keim zu ersticken.

---

[11] Unsere prominenteste Schülerin und Abiturientin (1950) war die Gattin von Bundespräsident Walter Scheel, Dr. Mildred Scheel, geb. Wirtz.

[12] Ausführlichere Informationen bietet unsere Website im Internet: www.djds.de

Die von ihrem Auftrag überzeugten Lehrerinnen und Lehrer

Ein Kollegium wie das unsere, in dem nicht Rivalität und Konkurrenzkampf herrschen, sondern Menschenfreundlichkeit, gegenseitiges Vertrauen sowie der Wille zur Zusammenarbeit und zu gemeinsamer Verantwortung, können nur von der Sache überzeugte Pädagoginnen und Pädagogen bilden. Und nur in einem solchen Kollegium können die Einzelnen ihre Fähigkeiten und Kräfte optimal entfalten und fruchtbar für das Ganze nützen.

Gemeinschaftsbewusstsein und Motivation

Selbstverständnis und die Notwendigkeit, unsere Arbeit möglichst effizient und ökonomisch zu gestalten, verbieten es uns, sinnlose „Reibungsverluste“ zu riskieren: Diese Überzeugung ist ein wesentlicher Faktor des Gemeinschaftsbewusstseins und der Motivation zu kreativer Unterrichtsgestaltung und umsichtiger erzieherischer Arbeit. Sie wird gefestigt durch ständige informelle Sachgespräche im Lehrerzimmer sowie regelmäßige pädagogische Konferenzen, Lehrerstudientage und nicht zuletzt durch freundschaftliche Kontakte auch außerhalb der Schule.

Die Leitung

Die Lebendigkeit und Innovationsfreude wird an der Schule entscheidend vertieft und gepflegt durch den ständigen Dialog über das gemeinsame Anliegen. Auch die seit August 2000 amtierende Schulleiterin Renate Gammel betrachtet es als eine ihrer wichtigsten Leitungsaufgaben, diesen Dialog sowie die aufrichtigen, von gegenseitigem Wohlwollen getragenen Beziehungen zu fördern bzw. wachsam jeden erkennbaren Ansatz von egoistischer Eigenbrötelei oder gar Mobbing sofort zu unterbinden.

Personale Beziehung

Die gesunde, wohlwollende Lehrer-Schüler-Beziehung als Voraussetzung für ein gedeihliches Schulklima ist ihrerseits abhängig von der Qualität der Beziehung der Lehrerinnen und Lehrer untereinander und zur Schulleitung bzw. zum Schulträger.

Seelisch ausbalancierte Lehrerinnen und Lehrer, die sich in der Erfüllung ihrer Aufgabe und in ihrem Dienst wohlfühlen, sind auch stets in der Lage, unvermeidlich auftretende Schwierigkeiten etwa mit problematischen Schülerinnen oder Eltern in den Griff zu bekommen und angemessen zu lösen, zumal wenn sie sich auf die Loyalität, den Rat und die Unterstützung ihrer Kolleginnen und Kollegen sowie der Schulleitung verlassen können.

Auch ist das rege Leben an unserer Schule nur möglich, weil fachübergreifende, freundschaftliche Zusammenarbeit ganz selbstverständlich gepflegt wird.

Sinnvolles Wirtschaften

Die Kolleginnen und Kollegen erleben sich als selbstständige, freie und verantwortliche Mitarbeiterinnen und Mitarbeiter an einem wichtigen gemeinsamen Werk. Die daraus gewonnene Selbsteinschätzung trägt entscheidend zum sparsamen Wirtschaften der Schule bei[13]: Die Mittel werden mit Bedacht und Umsicht so eingesetzt, dass wir damit nicht nur das angestrebte Ziel erreichen, sondern auch den bestmöglichen „Ertrag" erzielen.

[13] Als zwei Beispiele für die Einsparung von Mitteln seien erwähnt: Der Fachleiter Physik setzt nicht nur defekte Geräte nach Möglichkeit wieder selbst instand, sondern baut auch Geräte und Einrichtungsgegenstände. – Der Systembetreuer der Schule hat mit Kollegen die Computerräume und die Computer in den verschiedenen Büros der Schulverwaltung und des Direktorates miteinander vernetzt. Er hält unsere informationstechnischen Anlagen stets auf dem neuesten Stand und repariert auch die Geräte.

Eine weitere Folge unserer überzeugend verwirklichten „Corporate Identity“ besteht im sorgsamen, verantwortungsbewussten Umgang mit Lehrmitteln sowie der sonstigen Ausstattung und Einrichtung der Schule. Dies wiederum wirkt sich nicht nur positiv auf die Haushaltslage, sondern auch in mehrfacher Weise auf unsere Pädagogik und das Schulklima aus: Die Schülerinnen lernen am Beispiel der Lehrer, dass der sorgsame Umgang mit Ressourcen und der Einsatz für eine gemeinsame Sache das Leben bereichert. Wir können uns nämlich nicht nur die notwendige Ausstattung in optimaler Form leisten, sondern auch sinnvolle Extras, die uns wissenschaftlich weiterbringen oder dem Schulleben Glanz verleihen, z. B. die großzügige Feier von Festen.[14]

Das Entscheidende an unserem Schulprofil

In der Zusammenschau der vielen Einzelheiten stellt sich unser Unterrichts- und Erziehungskonzept als durchaus unspektakulär dar. Der erste Blick nimmt nichts Außergewöhnliches wahr. Bei näherem Betrachten erweist sich als das Kennzeichnende, das Eigentliche, dass das Konzept in sich schlüssig ist, dass seine einzelnen Elemente untereinander vernetzt und unmittelbar auf ein gemeinsames Ziel hin geordnet sind, nämlich dem je konkreten jungen Mädchen bzw. der jungen Frau zur vollen Entfaltung zu verhelfen und sie zu einem menschenwürdigen Leben zu befähigen.

Außergewöhnlich kann allenfalls die Art und Weise genannt werden, wie wir das Gewöhnliche tun: Engagiert, verantwortungsbewusst, konzentriert, menschenfreundlich und mit sehr großer Sorgfalt.

So ist unsere Schule nicht eine nach einer Theorie oder Ideologie gut funktionierende pädagogische Einrichtung, sondern

[14] Das Festefeiern ist übrigens in seiner Bedeutung für das Leben einer Schule kaum zu überschätzen.

ein organisch sich weiterentwickelnder „Lebensraum“, der, von allen Beteiligten mitgetragen und mitgestaltet, Wissen und Können vermittelt, Fähigkeiten schult, auch Schutz und Geborgenheit bietet, vor allem jedoch Leben lehrt.

Literatur

DR.-JOHANNA-DECKER-GYMNASIUM / DR.-JOHANNA-DECKER-REALSCHULE DER A. SCHULSCHWESTERN V.U.L.FR., Amberg, Jahresberichte 1970/71 bis 1999/2000.

DR.-JOHANNA-DECKER-GYMNASIUM / DR.-JOHANNA-DECKER-REALSCHULE DER A. SCHULSCHWESTERN V.U.L.FR.: 150 Jahre Gymnasium und Realschule der A. Schulschwestern v.U.L.Fr. in Amberg, Amberg 1989.

DR.-JOHANNA-DECKER-GYMNASIUM / DR.-JOHANNA-DECKER-REALSCHULE DER A. SCHULSCHWESTERN V.U.L.FR.: Von heiligen Menschen und ihrer Zeit, Festschrift zum Wolfgangsjahr der Diözese Regensburg, Amberg 1994.

DR.-JOHANNA-DECKER-GYMNASIUM / DR.-JOHANNA-DECKER-REALSCHULE DER A. SCHULSCHWESTERN V.U.L.FR., Amberg: Lebendige Schule – Schulinnovation 2000, Flyer, Amberg 2000.

DR.-JOHANNA-DECKER-GYMNASIUM / DR.-JOHANNA-DECKER-REALSCHULE DER A. SCHULSCHWESTERN V.U.L.FR.: Pädagogisches Projekt „Chancengerechte Mädchen- und Frauenbildung“, Flyer, Amberg 2000.

ENGL, M. CANISIA: Das Schulprofil der Dr.-Johanna-Decker-Schulen, in der Zeitschrift „engagement“ 2/1999.

ENGL, M. CANISIA: „Lebt nicht an den Aufgaben vorbei ...“, Abiturreden, Amberg 1990.

ENGL, M. CANISIA: Mädchenbildung heute – Ein Auftrag freier katholischer Schulen, Katholisches Schulwerk in Bayern, München 1988.

HANDBUCH KATHOLISCHE SCHULE, Band 2, Pädagogische Beiträge, Köln 1992.

STAATSINSTITUT FÜR SCHULPÄDAGOGIK UND BILDUNGSFORSCHUNG München, Arbeitsbericht 200: Mädchenbildung, München 1989.

Internetadresse: www.djds.de

BOB VAN DE VEN

„Wem gehört die Schule?“ – Niederländische Schulen in staatlicher und freier Trägerschaft

Denkt man an das niederländische Bildungswesen, denkt man meistens an Autonomie der Schule und an die Freiheit, selbst Schulen gründen zu dürfen. Wie hat es so kommen können und welche Tendenzen spürt man heutzutage in dem Verhältnis zwischen Staat und Schule. Im Folgenden soll näher auf diese Fragen eingegangen werden.

Die Rolle des Staates im niederländischen Bildungssystem

In der Verfassung ist die Freiheit der Einrichtung „Schule“ klar festgelegt. Und Freiheit ist für den Niederländer ein sehr wichtiger Begriff. Die Niederlande ist ein freies und tolerantes Land. Ein Land, in dem man es für wichtig hält, dass man sein Leben einrichten kann nach eigenen Ideen und Maßstäben. Hinzu kommt noch, dass der Niederländer ein verhältnismäßig unabhängiges Verhältnis zu seinem Staat hat. Das Verhältnis von Freiheit und Verantwortung und die Reduzierung zentraler Steuerung auf das Nötigste, die für das heutige niederländische Bildungssystem so charakteristisch sind, haben also ihre Wurzeln in der Geschichte der niederländischen Bildungsentwicklung und in der Mentalität der Niederländer.

Im Jahre 1917 endet der „Schulstreit“ und es wird die Freiheit der Einrichtung des Bildungssystems in der Verfassung verankert. Damit werden die Privatschulen den staatlichen Schulen gleichgestellt. Das heißt, dass auch die privaten Schulen vom Staat finanziert werden. Aber vielleicht noch wichtiger als die

Finanzierung vom Staat ist die Feststellung, dass private Personen oder Gruppen von Personen das Recht haben, Schulen zu gründen. Wenn genügend Eltern sich vereinen, können sie eine Schule gründen. Natürlich ist man dabei an bestimmte Regeln gebunden. Vor allem soll die Qualität gesichert sein, sowohl die der Schule als auch die der Ausbildung der Lehrer. Daher werden bestimmte Studienprogramme vorgeschrieben und es gibt im Sekundarbereich zentrale Prüfungen. Der private Träger hat das Recht, Lehrer einzustellen (und auch zu kündigen!) und die Schule nach eigenen Ideen zu gestalten.

Im Bildungsbereich trifft man bis zum heutigen Tag die vier verschiedenen „Säulen" an: Protestanten, Katholiken, eine neutrale „Säule" (Daltonschulen, Montessori, Rudolph Steiner u.Ä) und die öffentlichen Schulen. Der Staat ist nicht mehr Träger eigener Schulen. Früher gab es noch „Reichsschulen" (Rijks HBS zum Beispiel), aber heutzutage sind die Gemeinden die Schulträger der öffentlichen Schulen.

Bildungsfreiheit in der täglichen Praxis

Was heißt es nun in der Praxis der Arbeit des Schulleiters und des Schulträgers, dass man Freiheit hat? Wie zeigt sich das und wie weit geht die Freiheit? Man kann sich vorstellen, dass es immer einen Streit hinsichtlich der Grenzen der Freiheit gab und gibt.

Dass in den Niederlanden die verschiedenen „Säulen" sehr viel Einfluss auf die Konstitutierung und Gestaltung des Schulwesens haben, ist historisch gewachsen und inzwischen selbstverständlich. Und dabei gehen die Interessen manchmal sehr weit auseinander. So kommt es, dass die Einführung neuer Reformvorhaben im Bildungssystem sehr viel Zeit in Anspruch nimmt. Und wenn man dann endlich so weit ist, dann gibt es so viele Kompromisse, dass vom ursprünglichen Konzept nur noch wenig übrig ist.

Ein gutes Beispiel dafür ist die Einführung der so genannten *Basisbildung* im Jahre 1993. Die ersten drei Jahre des Sekundarunterrichts sollten für alle Schüler von zwölf bis fünfzehn Jahren gleich sein. Alle sollten eine breite Bildung bekommen mit insgesamt fünfzehn Fächern, darunter einige neue wie „Technik“ und „Versorgung“ (Kochen, Waschen usw.) Es wurden „Kernziele“ festgelegt und darüber hinaus war die Schule frei, mit dem Lehrstoff für besonders veranlagte Schüler in die Tiefe zu gehen. Im Jahr 2000 hat man die Basisbildung evaluiert und es zeigt sich, dass sich inzwischen so große Unterschiede zwischen den Schulen entwickelt haben, dass man kaum noch von Basisbildung reden kann. Ein wichtiger Bestandteil der Basisbildung ist die Idee, dass man den Schülern nicht nur Kenntnisse, sondern auch Fertigkeiten beibringen muss. Auch das haben die Schulen bisher kaum in die Praxis umsetzen können. Vom Staat wird der Rahmen des Curriculums festgelegt. Die Schule hat dabei große Freiräume zur Interpretation, zugeschnitten auf die eigene Situation. Das heißt auch, dass die Schule selbst bestimmt, welche Lehrbücher verwendet werden und welche anderen Lehrmittel. Dabei können große Unterschiede entstehen.

Wichtig im niederländischen Schulsystem ist, dass der Schulträger neben den Lehrern auch die *Schulleiter* ernennt. Damit trägt er natürlich eine große Verantwortung für die Qualität der Schule. Die Schulleiter der Gemeindeschulen werden von dem Gemeinderat ernannt. Natürlich hat auch in einer Gemeindeschule die Lehrerschaft ein bestimmtes Mitspracherecht bei der Ernennung eines Schulleiters, aber letztendlich entscheidet der Gemeinderat.

Neue Tendenzen im niederländischen Bildungswesen

In den letzten zehn Jahren ist die Rolle des Ministeriums für Bildung immer geringer geworden. Einerseits wurde das verursacht durch die fortschreitende *Dezentralisierung* der Bildungspolitik, andererseits durch die wachsende Autonomie der Schulen. Immer mehr Verantwortung wurde dahin gelegt, wo auch die Entscheidungen getroffen werden müssen. Man sieht diese Dezentralisierung übrigens auf vielen Gebieten des gesellschaftlichen Lebens in den Niederlanden.

Mit der geringer gewordenen Rolle des Ministeriums wuchs zugleich die Bedeutung der Gemeinde für die Bildungspolitik. Schon länger bekommen die Gemeinden extra Geld für bestimmte Problembereiche, also zum Beispiel um spezielle Programme für multikulturelle Schüler zu entwickeln oder für Schüler mit Lernrückständen. Die Gemeinde hat die Pflicht, das Geld auch an die privaten Schulträger weiterzuleiten. Dazu musste jede Gemeinde ein „Bildungsrückstandsprogramm“, zusammen mit den Trägern der Schulen in der Stadt entwickeln. Das Geld darf also nicht nur für Gemeindeschulen gebraucht werden. So entsteht eine doppelte Rolle für die Gemeinden: Sie sind selbst Träger der Gemeindeschulen und haben überdies extra Geld für bestimmte Projekte, das sie über die verschiedenen Schulträger verteilen müssen.

Dadurch ist allmählich eine neue Situation entstanden, bei der die Gemeinden größeren Einfluss auf die Bildungspolitik bekommen haben. Das wurde noch verstärkt durch die Tatsache, dass seit 1997 die Gemeinden auch verantwortlich geworden sind für die Schulgebäude, nicht nur für die Instandhaltung der Gebäude, sondern auch für den Neubau. Vor 1997 wurde beides vom Staat, also dem Ministerium, wahrgenommen. Das geschah auf Deklarationsbasis. Sollte zum Beispiel das Dach einer Schule repariert werden, dann musste man das beim Ministerium melden und die Kosten dafür wurden vom Ministerium direkt bezahlt. Geld, das früher vom Ministerium für Baukosten verwendet wurde, erhalten nun die Gemeinden. Aber dieses Geld ist nicht mehr als solches zweckgebundenes erkennbar und fließt mit den anderen Mitteln in die Gemeindekasse. Die Gemeinde kann, salopp gesagt, mit diesem Geld auch Straßenlaternen kaufen. Die direkte Folge ist, dass die Schulen sehr abhängig vom Gemeinderat sind, denn der entscheidet schließlich über die Anwendung der Gemeindemittel. Ein weiteres Problem ist, dass die Gemeinden im Grunde genommen auch noch in Konkurrenz zu den privaten Trägern stehen, weil sie auch eigene Schulen haben und diese bevorteilen könnten. In vielen Gemeinden geht man daher dazu über, auch die Gemeindeschule einer Stiftung zu unterstellen, einer Stiftung, die dann verantwortlich ist für die Instandhaltung einer oder mehrerer öffentlichen Schulen. Zur Zeit bewegt sich in diesem Zusammenhang relativ viel, zumal viele Schulen aufgrund ähnlicher Problemlagen zusammenarbeiten müssen und nicht in jeder Gemeinde eine öffentliche Schule selbständig weiterbestehen kann, während demgegenüber die Gemeinde die Pflicht hat für den öffentlichen Unterricht zu sorgen.

Zugleich gibt es die Möglichkeit, die Mittel für Instandhaltung und Neubau von Gebäuden direkt den Schulträgern zur Verfügung zu stellen. In der Praxis bedeutet dies, dass jedoch nur die größeren Träger, also diejenigen, die mehrere Schulen verwalten, imstande sind die Risiken, die das mit sich bringt, zu tragen. Die meisten Träger verhandeln daher jährlich mit der Gemeinde über die Kosten für Neubau und Instandhaltung der Schulen sowie über die Teilnahme der Schulen an bestimmten Projekten, die mit Gemeindegeldern finanziert werden.

Seit 1993 hat man in der Berufs- und Erwachsenenbildung und seit 1996 auch in der Allgemeinbildung (Sekundarbereich) „lump-sum-Finanzierung“. Das heißt, dass jede Schule jährlich einen Pauschalbetrag bekommt, um damit alle personalen und materiellen Kosten zu decken. Der Betrag ist abhängig von der Zahl der Schüler, die im Jahr zuvor die Schule besuchten. Auf die Weise kann man nicht überrascht werden, wenn plötzlich die Zahl der Schüler zurückgeht. Aber umgekehrt: Wenn plötzlich die Zahl der Schüler wächst, muss man die zusätzlichen Stunden aus den Reservemitteln bezahlen oder sogar größere Klassen bilden. Die Schulen erhalten einen Betrag für die Personalkosten und einen Betrag für die anderen materiellen Aufwendungen. Diese Mittel sind gegeneinander deckungsfähig, das bedeutet, dass man unter Umständen Personalkosten für Anschaffungen verbrauchen kann und auch umgekehrt. Also auch Computer statt Lehrer!

Diese Pauschalfinanzierung hat große Folgen gehabt für die Schulen und die Träger. Parallel dazu zeigte sich nämlich eine Tendenz, wonach die Träger der privaten Schulen mehr Zusammenabeit suchten und viele Träger in den letzten Jahren fusionierten, damit sie stärker und noch unabhängiger ihre eigene Schulpolitik betreiben können. Zugleich wurde dadurch ein größerer finanzieller Spielraum geschafffen, denn mit Einführung der Pauschalfinanzierung ist es nicht mehr undenkbar, dass auch eine Schule „Pleite" machen kann.

Das Schulmanagement in den niederländischen Schulen

Wie oben beschrieben, haben die Einführung der Pauschalfinanzierung und der Dezentralisierung der Bildungspolitik große Folgen gehabt für die Verwaltung der Schulen. War es früher so, dass viele Träger nur eine Schule verwalteten, gibt es heutzutage, nach den vielen Fusionen, viele Träger mit mehreren Schulen. In der Provinz Brabant zum Beispiel gibt es den Verein „Ons Middelbaar Onderwijs" mit ungefähr fünfzig Sekundarschulen. Das ist zwar eine Ausnahme, aber die Tendenz zur Vergrößerung ist deutlich sichtbar. Das heißt natürlich auch, dass die Träger professionalisiert werden müssen und das erreicht man dadurch, dass man den Schulleitern mehr verwaltungsmäßige Befugnisse überträgt. Wenn mehrere Schulen unter einem Vorstand zusammenarbeiten, hat man manchmal ein Vorstandskollegium mit einem Kollegiumsvorsitzenden, der für die zusammenarbeitenden Schulen viele

Verwaltungsaufgaben wahrnimmt. So ein Kollegium besteht meistens aus zwei oder drei Personen. Der Träger steht damit auf einer größeren Distanz zu den Schulen und funktioniert mehr wie ein Aufsichtsrat in der Wirtschaft. Auch kommt das Modell vor, dass die Schulleiter der zusammenarbeitenden Schulen ein „überschulisches Managementteam" bilden, in dem sie in allen Angelegenheiten dieser Schulen eng zusammenarbeiten. Bei diesem Modell ist die Autonomie der einzelnen Schule besser gewährleistet als in dem Modell mit einem Vorstandskollegium; es stellt aber zugleich große Anforderungen an die Kollegialität der einzelnen Schulleiter.

Es versteht sich, dass hiermit auch die Rolle des Schulleiters eine völlig andere geworden ist. Der Schulleiter hat mehr Aufgaben zu bewältigen, die früher beim Träger lagen und hat damit weniger Zeit für unmittelbar pädagogische Aufgaben. In den Schulen zeigt sich das dadurch, dass neue Managamentmodelle entstehen, wobei die stellvertretenden Schulleiter mehr die Rolle des traditionellen Schulleiters übernehmen. Allmählich entwickelt sich damit ein neues Management in den Schulen: das „middle-management". Gerade weil der Träger autonom ist, um die Schule so zu gestalten wie man es für gut hält, können die niederländischen Schulen sich in dieser Richtung weiterentwickeln – zu profesionellen und effektiven Organisationen.

Zum Schluss

Das Ende der Entwicklungen ist nicht in Sicht. Dabei ist natürlich die prinzipielle Frage noch immer: Wem gehört die Schule? Die Schule sollte nach der Verfassung den Eltern gehören. Aber wo bleiben die Eltern, wenn die Schule so professionalisiert ist? Dieses Thema ist jetzt wieder aktuell. In dem neuen Gesetz für Mitsprache, das derzeit entwickelt wird, werden die Eltern und die Schüler ihren eigenen Platz bekommen. Und das mit Recht, denn ihnen vor allem sollte die Schule gehören!

Grundlagenliteratur – „Aktuelle Schulkonzepte“

ANWEILER, OSKAR u. a.: Bildungssysteme in Europa. Weinheim 1996.

AVENARIUS, HERMANN / HECKEL, HANS: Schulrechtskunde. Neuwied, Kriftel 2000.

AVENARIUS, HERRMANN / BAUMERT, JÜRGEN / DÖBERT, HANS / FÜSSEL, HANS-PETER: Schule in erweiterter Verantwortung. Neuwied, Kriftel 1998.

ARBEITSGRUPPE BILDUNGSBERICHT: Das Bildungswesen in der Bundesrepublik Deutschland. Strukturen und Entwicklungen im Überblick. Reinbek bei Hamburg 1994.

BILDUNGSKOMMISSION NRW: Zukunft der Bildung – Schule der Zukunft. Neuwied u. a. 1995.

BÖNSCH, MANFRED: Praxishandbuch gute Schule. Baltmannsweiler 2000.

CHOTT, PETER O.: Schulkonzepte zum „Lehren des Lernens“: Analysen zur Grundlegung und zur Revision von Lehrplänen. Weiden. 1996.

DÖBERT, HANS / GEIßLER, GERT (Hrsg.): Schulautonomie in Europa. Baden-Baden 1997.

FAUSER, PETER: Wozu die Schule da ist. Eine Streitschrift. Seelze 1996.

FÜHR, CHRISTOPH: Deutsches Schulwesen seit 1945. Grundzüge und Probleme. Bonn 1996.

FÜHR, CHRISTOPH / FURCK, CARL-LUDWIG (Hrsg.): Handbuch der deutschen Bildungsgeschichte. München 1998.

GONSCHOREK, GERNOT / SCHNEIDER, SUSANNE: Einführung in die Schulpädagogik und die Unterrichtsplanung. Donauwörth 2000.

GÖHLICH, MICHAEL (Hrsg.): Offener Unterricht, Community education, Alternativpädagogik, Reggiopädagogik: die neuen Reformpädagogiken; Geschichte, Konzeption, Praxis. Weinheim, Basel 1997.

HAARMANN, DIETER (Hrsg.): Handbuch elementare Schulpädagogik: Handlungsfelder institutionalisierter Grund- und Allgemeinbildung in den Klassen 1 bis 10. Weinheim, Basel 1997.

HINTZ, DIETER / PÖPPEL, KARL GERHARD / REKUS, JÜRGEN: Neues schulpädagogisches Wörterbuch. Weinheim und München 1993.

JÜRGENS, EIKO: Die Grundschule: Zeitströmungen und aktuelle Entwicklungen. Baltmannsweiler 1997.

KAHLERT, JOACHIM (Hrsg.): Grundschule – sich Lernen leisten: Theorie und Praxis. Neuwied, Kriftel 2000.

LENHART, VOLKER / MARSCHELKE, EKKEHARD (Hrsg.): Einführung in die Schulpädagogik. Rheinstetten 1976.

LIKET, THEO M. E.: Freiheit und Verantwortung. Das niederländische Modell des Bildungswesens. Gütersloh 1993.

ROLFF, HANS-GÜNTER: Wandel durch Selbstorganisation. Theoretische Grundlagen und praktische Hinweise für eine bessere Schule. Weinheim, München 1993.

SEIBERT, NORBERT (Hrsg.): Problemfelder der Schulpädagogik. Bad Heilbrunn 2000.

SEIBERT, NORBERT (Hrsg.): Anspruch Schulkultur: interdisziplinäre Darstellung eines neuzeitlichen schulpädagogischen Begriffs. Bad Heilbrunn 1997.

STEFFENS, ULRICH / BARGEL, TINO: Erkundungen zur Qualität von Schule. Neuwied 1993.

Sachwortverzeichnis

Autoren

BRONDER, DIETMAR J.; Hauptschulrektor in Duisburg, Bundesvorsitzender des Arbeitskreises Hauptschule e.V., Veröffentlichungen: Pädagogisches Management – Wie geht denn das? Dortmund 1996, Handbuch Hauptschulbildungsgang in zwei Bänden, Mitherausgeber, Bad Heilbrunn 1998 bzw. 1999 sowie Aufsätze u. a. zur Hauptschule, Schulpflicht, Schulmanagement.

ENGL, MARIA CANISIA; A. Schulschwester v.U.L.Fr., war von 1970 bis Sommer 2000 Oberstudiendirektorin am Dr.-Johanna-Decker-Gymnasium und der gleichnamigen Realschule in Amberg, Bayern. Vorstandsmitglied des Katholischen Schulwerks in Bayern.

FUCHS, HANS-WERNER, Dr. phil., Dipl.-Päd.; wissenschaftlicher Assistent im Fachbereich Pädagogik der Universität der Bundeswehr Hamburg; Forschungs- und Arbeitsschwerpunkte: Bildungsforschung und Bildungspolitik, Zeitgeschichte des Bildungssystems, Bildung und Wissenschaft in der DDR und in den neuen Bundesländern, Politische Bildung.

HARDORP, DETLEF; Dr., ehemaliger Waldorflehrer für Mathematik, derzeitiger bildungspolitischer Sprecher der Waldorfschulen in Berlin-Brandenburg.

HECK, GERHARD, Dr., Akademischer Direktor am Pädagogischen Institut der Universität Mainz; Arbeitsschwerpunkte: Geschichte und gesellschaftliche Voraussetzungen von Schule und Erwachsenenbildung, Friedenspädagogik.

HEINRICHS, MATTHIAS; arbeitet seit der Gründung im Jahre 1986 als Lehrer an der Freien Comenius-Schule, Mitglied der deutschen Freinetkooperative seit 1978.

REUTER, LUTZ, R.; Dr. jur., Professor am Fachbereich Pädagogik der Universität der Bundeswehr Hamburg. Gastprofessirem u. a. an der Northwestern University Chicago / Evanston und der Erziehungswissenschaftlichen Universität Maputo (Mosambik).

VAN DE VEN, BOB; Vorsitzender der Niederländischen Gesellschaft für Bildungsverwaltung. Schulleiter und Vorsitzender eines Überschulischen Managementteams in Utrecht; Schwerpunkte: Schulmanagement; Schulentwicklung; Personalpolitik in der Schule; Qualitätssicherung; Lehrerbildung; Schulorganisation; Schule und Politik; Internationalisierung in der Schule.

WEISHAUPT, HORST, Dr. phil.; Professor für Empirische Bildungsforschung an der Universität Erfurt. Forschungsschwerpunkte: Schulplanung und Schulentwicklung, regionale Disparitäten im Bildungswesen, Analyse bildungspolitischer Entwicklungen und Planungen.

WOLLENWEBER, HORST M. A.; Staatsexamen für das Lehramt an Realschulen; Tätigkeit in der Lehreraus- und Lehrerfortbildung, seit 1980 Schulleiter an einer Realschule; Veröffentlichungen zur Schul- und Bildungspolitik, zur Geschichte des Schulwesens, insbesondere der Realschule, sowie zur Lehrerbildung und Sozialpädagogik.

Inhaltsverzeichnisse der weiteren Bände

Band I: Neue Schulkultur

Band II: Finanzierung und Öffnung von Schule

Band IV: Schulen mit besonderem Profil

Band V: Flexibilisierung von Bildungsgängen

Band VI: Schule und Qualität

Basiswissen Pädagogik

Teilbereich: **Aktuelle Schulkonzepte**

Hrsg. von **Hans Döbert** und Christian Ernst.

Im Rahmen einer Buchreihe „**Basiswissen Pädagogik**" wollen die sechs Bände zu „Aktuellen Schulkonzepten" neuere Erkenntnisse und Entwicklungen in Erziehungswissenschaft und Pädagogik zur Schule in ihrem pädagogischen Anspruch und in ihrer Bedeutung für die Schulpraxis entfalten. Jeder Band für sich sowie die sechs Bände insgesamt sollen Überblick, Querschnitt und Vertiefung in leicht zugänglicher, handlicher und verständlicher Form in einem bieten. Die Beiträge in den sechs Bänden wurden um die folgenden Themenbereiche versammelt: Neue Schulkultur, Finanzierung und Öffnung von Schule, Schulen in staatlicher und freier Trägerschaft, Schulen mit besonderem pädagogischen Profil, Flexibilisierung von Bildungsgängen sowie Schule und Qualität.

Band 1: **Neue Schulkultur**

2001. VI, 207 Seiten. Kt. ISBN 3896764622. FPr. DM 24,–

Der vorliegende Band „**Neue Schulkultur**" beleuchtet die Thematik aus der Perspektive von zehn Beiträgen, in denen jeweils auch internationale Trends Berücksichtigung fanden. Aus Praxis, Verwaltung und Wissenschaft konnten für den Band folgende Autoren gewonnen werden: Horst Wollenweber, Gerhard de Haan, Dorothee Harenberg, Hans Döbert, Joachim Thoma, Pit Spieß, Christian Ernst, Gerhard Hüfner, Klaus Wenzel, Hans Peter Füssel, Christoph Burkard und Botho von Kopp.

Band 2: **Finanzierung und Öffnung von Schule**

2001. VII, 205 Seiten. Kt. ISBN 3896764632. FPr. DM 24,–

Der vorliegende Band „**Finanzierung und Öffnung von Schule**" beleuchtet die Thematik aus der Perspektive von elf Beiträgen, in denen jeweils auch internationale Trends Berücksichtigung fanden. Aus Praxis, Verwaltung und Wissenschaft konnten für den Band folgende Autoren gewonnen werden: Manfred Weiß, Jens-Uwe Böttcher, Ulrike Lexis, Gerhard H. Duismann, Helmut Meschenmoser, Norbert Rixius, Zita Götte, Annette Czerwanski, Volker Esch-Alsen, Peter Herrmann, Sabine Lilienthal, Bob van de Ven und Wolfgang Mitter.